# LE PREMIER AMOUR

# DU MÊME AUTEUR

*Théâtre :*

LE PASSAGE, Editions de l'Arche, 1996.

CHAOS DEBOUT, LES NUITS SANS LUNE, Editions de l'Arche, 1997.

POINT À LA LIGNE, LA JOUISSANCE DU SCORPION, Editions de l'Arche, 1998.

LE JARDIN DES APPARENCES, Actes Sud-Papiers, 2000.

MATHILDE, Actes Sud-Papiers, 2001 et 2003.

JE NOUS AIME BEAUCOUP, Grasset, 2006.

UNE SÉPARATION, Triartis, 2009.

*Romans :*

BORD DE MER, Actes Sud, 2001 ; Babel, 2003 ; J'ai Lu, 2005.

NUMÉRO SIX, Actes Sud, 2002 ; Babel, 2004 ; J'ai Lu, 2005.

UN SI BEL AVENIR, Actes Sud, 2004 ; Babel, 2005.

LA PLUIE NE CHANGE RIEN AU DÉSIR, Grasset, 2005 ; le Livre de Poche, 2007.

SA PASSION, Grasset, 2007 ; le Livre de Poche, 2008.

LA PROMENADE DES RUSSES, Grasset, 2008.

*Nouvelles :*

PRIVÉE, Editions de l'Arche, 1998 ; Babel, 2004.

LA PETITE FILLE AUX ALLUMETTES, Stock, 2004.

VÉRONIQUE OLMI

# LE PREMIER AMOUR

*roman*

BERNARD GRASSET
PARIS

ISBN : 978-2-246-75561-6

*Pour Pascal Elso,*
*pour Luc Dodemant.*

« Tu as été l'époque la plus belle de ma vie. C'est pourquoi, non seulement je ne pourrai jamais t'oublier, mais même je t'aurai toujours constamment dans la mémoire la plus profonde, comme une raison de vie. »

Pier Paolo Pasolini.

Il suffit parfois d'un rien pour que la vie bascule. Un moment d'inattention au passage clouté. Une grève SNCF. Un nouveau voisin. Une panne d'ascenseur. Une lettre. Un coup de fil dans la nuit.

Ma vie a basculé le 23 juin 2008 à 20 h 34, à l'instant même où j'ôtais la feuille de papier journal qui protégeait le Pommard qui devait accompagner l'épaule d'agneau qui cuisait au four depuis 26 minutes.

Le Pommard, débarrassé de son journal, n'a jamais été débouché. L'épaule d'agneau n'a jamais été cuite, j'ai eu la présence d'esprit d'éteindre le four avant de m'enfuir en Italie. Et aussi celle d'éteindre les bougies allumées un peu partout dans le salon.

Quand je me suis réveillée ce matin-là, le 23 juin 2008, je savais ce qui m'attendait. C'était nos 25 ans de mariage avec Marc, et j'avais décidé de tout prendre en mains et que la soirée soit exemplaire – bien sûr, si j'avais écouté Marc et accepté sa proposition de dîner au Grand Colbert, rien de tout cela ne serait arrivé, mais aller au restaurant était tellement convenu, l'idée en était si pauvre, que j'avais préféré organiser une soirée intime qui correspondrait mieux à nos goûts et à nos désirs. J'en voulais un peu à Marc de ne pas avoir eu l'audace de me proposer d'aller fêter l'évènement dans une capitale européenne, à défaut de New York dont je rêvais depuis toujours et qui aurait dû, soit dit en passant, être la destination de notre lune de miel, à la place de quoi nous nous étions retrouvés dans cet hôtel minable de Venise, au demeurant bien trop cher pour nous à l'époque.

Je ne travaillais pas ce jour-là, mercredi, ce qui était une chance car préparer l'anniversaire m'avait réellement pris la journée, Marc qui m'avait appelée deux fois dans l'après-midi avait l'air de penser que je me noyais dans un verre d'eau, sans oser me le dire cependant, mais à la façon qu'il avait eue de me parler comme à une enfant incorrigible et attendrissante, je savais bien ce qu'il pensait de moi. Cela m'avait agacée et j'avais chassé aussi vite que possible cet agacement, de peur de lui en vouloir et d'être tendue pendant la soirée. Plusieurs fois dans la journée – lorsque je faisais la queue pour la troisième fois au Monoprix, ayant pour la troisième fois oublié un condiment ou un ingrédient indispensable, lorsque j'avais hésité sur le vin et cherché sur Internet ce qui conviendrait le mieux aux différents plats avant que le caviste ne lève les yeux au ciel devant mon incompétence –, plusieurs fois dans la journée je m'étais dit que j'aurais préféré être à la place de Marc, celle de celui qui travaille ce jour-là et vous fait la fleur de ne pas arriver trop en retard pour mettre les pieds sous la table en cachant sa fatigue derrière un sourire paternel. Je sais bien que d'autres femmes s'en sortent mieux que moi. Celles qui improvisent des dîners pour 15 en quelques minutes et tout est parfait et elles ne sont ni agacées ni énervées, simplement ravies et détendues, celles qui arrivent du boulot à 19 heures et une heure après ont cuisiné leurs recettes miracles celles qu'elles ne ratent jamais et que toutes leurs amies envient, et vous ouvrent la porte les cheveux encore mouillés de la douche, sans maquillage et la peau lisse de celle qui a dormi douze heures, etc., etc.

J'avais donc oscillé toute la journée entre la joie de préparer l'évènement et la peur de le rater.

En l'occurrence, j'avais tort. Ç'aurait pu être parfait. Bien mieux qu'au Grand Colbert. J'avais fait une sélection des musiques préférées de Marc, et choisi l'ordre dans lequel je les passerais, je commencerais par du jazz évidemment, Duke Ellington et Chet Baker pour l'apéritif et les cadeaux, les arias de Schubert pour les entrées, les sonates de Chopin et les cantates de Bach pour l'épaule d'agneau, puis je passerais les Gipsy Kings au fromage afin de pouvoir enchaîner avec Janis Joplin au dessert et que nous soyons tout à fait réveillés pour passer dans notre chambre où Maria Callas accompagnerait en sourdine notre étreinte. J'avais acheté des draps en soie pour l'occasion, ceux du BHV coûtaient une fortune et j'avais déniché au fin fond du XIIᵉ une boutique chinoise blême qui croulait sous la poussière et les parures « made in Shanghai », aux couleurs tristes, un peu striées par le soleil. Au bout de trois quarts d'heure pendant lesquels j'avais fait ouvrir la moitié des paquets, j'avais fini par trouver des draps couleur perle tout à fait corrects, pour une nuit au moins, après bien sûr ils s'effilocheraient dès que l'un de nous deux aurait oublié de se couper les ongles de pied depuis plus de 48 heures.

Cela avait été beaucoup plus compliqué de choisir comment je m'habillerais pour pouvoir me déshabiller après. Impossible évidemment de faire l'impasse sur des dessous sexy et impossible aussi de ne pas être accablée par le convenu de la chose, il y avait longtemps que je ne me montrais plus nue devant Marc, j'avais 48 ans, aussi j'envisageais de tamiser les lumières, de me glisser sous les draps « made in Shanghai » en guêpière, de ne pas la retirer pour faire l'amour, pas plus que mes bas évidemment. Un compromis correct. Sexy mais pas visible. Pas exposée. Pas trop gênée.

Ma robe en mousseline bleue était on ne peut plus simple à ôter : il suffisait de baisser la mince fermeture Eclair sur le côté, et aussitôt elle tombait par terre comme une douce évidence. Quant à mes chaussures grises à talons aiguilles, je me disais que je les garderais peut-être pour faire l'amour – lacérer les draps en soie qui ne serviraient qu'une fois pourrait apparaître comme une magnifique audace, et une jolie transgression érotique.

Vraiment, ç'aurait pu être parfait. Si seulement. Je ne m'étais pas disputée avec le caviste. N'étais pas sortie de sa boutique sans lui avoir rien acheté, pour finalement prendre la bouteille de Pommard que Marc avait ramenée de Bourgogne le week-end précédent et enveloppée dans les pages annonces de *Libération*.

« Emilie, Aix 1976. Rejoins-moi au plus vite à Gênes. Dario. »

Je n'ai pensé à rien. Je ne me suis posé aucune question. J'ai fait des gestes sans les vouloir.
J'ai éteint le four. J'ai soufflé les bougies.
J'ai posé sur la table de la cuisine un mot pour Marc : « Ne t'inquiète SURTOUT pas. »
J'ai passé une veste légère sur ma robe légère.
J'ai pris mes clefs de voiture. Mon sac. Oublié mon portable.
Et je suis sortie.

Je m'appelle Emilie. Je vivais à Aix-en-Provence en 1976. L'année où j'ai rencontré Dario. Il venait de Gênes.
C'était mon premier amour.

C'était l'époque où ma sœur Christine chantait « C'est ma prière » et « Le lundi au soleil » en se regardant dans la glace des heures durant. Elle serrait fort dans sa main la poignée de la corde à sauter qui lui tenait lieu de micro. Elle croyait faire du play-back mais ne pouvait empêcher sa voix de sortir, et les chansons de Mike Brant et de Claude François étaient recouvertes par le filet de voix de Christine, comme une plainte un peu éraillée, un dernier souffle. Elle bougeait lentement ses hanches de droite à gauche et sa bouche bavait un peu.

« C'est ma prièèèère, je reviens vers toi ahah ! C'est ma prièèèère ! ». Des après-midi entières. Et puis elle disait :

— C'est triste, hein Mimile, il est mort hein c'est triste ?

— Oui mais tu vois, on a toujours ses chansons.

— Tu trouves que je chante bien, moi ?

— Oui tu chantes très bien.

— Plus tard je serai chanteuse tu crois Mimile ?

— Et toi, tu crois que tu seras chanteuse ?

18

— Je suis jolie. Je suis jolie ? Sans les lunettes, je suis jolie ? Je peux être chanteuse je suis jolie !

Avant qu'elle s'énerve je devais toujours finir par des mensonges : « Tu es jolie tu seras chanteuse tu épouseras Ringo », elle était folle de Ringo, le mari de Sheila, c'était son type d'homme. C'est ce qu'elle disait.

Souvent quand je suis triste, je pense à Christine avec sa corde à sauter. Le sérieux avec lequel elle bougeait ses lourdes hanches. L'étonnement qu'il y avait dans ses yeux quand elle chantait « Le lundi au soleil on pourrait le passer à s'aimer ! ».

Souvent quand je perds espoir, je pense à Christine qui s'énervait si on ne lui disait pas que tout est possible.

Souvent je pense à cette grande sœur qui avait quelque chose de plus que moi, un chromosome pas très sympathique, le 21.

Elle a accompagné ma jeunesse en musique.

Quand j'ai rencontré Dario j'avais 16 ans et j'étais innocente comme une enfant de 13. Aussi, tout ce qui m'arrivait m'arrivait par surprise. Tout m'apparaissait neuf et important, je sentais avec un étonnement joyeux que les choses disaient plus que ce qu'elles étaient. Certaines émotions simplement légères portaient en elles, je le savais, les promesses de profonds bouleversements. Rien n'était simple, et dans la complexité de la vie je devinais des joies pleines d'appréhension, des tracs magnifiques et mes attentes me plaisaient, je rêvais sur toute chose, je me savais capable de sentiments vastes comme la mer, j'étais une géante enfermée dans une famille étroite, un lycée ancien, une petite ville de province qui se savait jolie mais souffrait déjà de ne pas être Paris.

J'ai eu la sensation, durant toutes mes années de scolarité, de tenter de franchir une porte. Qui ne s'ouvrait jamais en entier. Me forçait à passer en me faufilant de côté, rentrant le ventre, sur la pointe des pieds, la respiration bloquée, des précautions d'obèse marchant sur un sol de papier.

Mais ce soir-là, le soir de mes vingt-cinq ans de mariage, quand je suis sortie du périphérique pour entrer sur l'autoroute A6, j'ai su que durant cette année 1976 bien des choses avaient été belles.

Et que souvent, elles m'avaient manqué.

Suzanne, la sœur de maman, sentait comme son appartement. Un mélange de papier mouillé, de déodorant et de vernis à ongles. Papa disait : « Ta sœur Suzanne permets-moi de te le dire, en plus d'être sale, est vulgaire.

— Bertrand, tu peux dire beaucoup de choses sur Suzanne, mais pas qu'elle est vulgaire. C'est une tête ! Elle est expert-comptable !

— Peut-être, mais elle a des ongles de pharmacienne !

— Oh !

C'était faux, je peux le dire. J'ai beaucoup observé les ongles peints des pharmaciennes mettant avec application des petites boîtes dans des petits sacs, dans lesquels elles rajoutaient parfois quelques petits échantillons (« Oui madame Beaulieu, du shampoing sec, si si ! Sec ! »), mon père avait tort. Les ongles des pharmaciennes, neuf fois sur dix, sont impeccables. Ceux de tante Suzanne ne l'étaient jamais. Toujours un bout éraillé, un ongle cassé, elle s'en fichait. De ça comme du reste. Elle aimait les hommes et ne s'en cachait pas, ce qui chez nous pas-

# Cornwall Library Service
Falmouth Library
Tel. 0300 1234 111

## Borrowed Items 07/03/2013 16:58
XXXXXXXXXX1597

| Item Title | Due Date |
| --- | --- |
| 38009032978790 | 28/03/2013 |

24 hour renewal: 0845 607 6119
www.cornwall.gov.uk/library

Thank you for using this library.

sait non pas pour une transgression, mais pour une maladie grave. Je lui dois d'avoir compris très tôt que l'amour est un bienfait. Elle m'emmenait souvent en voyage. En 1975, à Pâques, nous sommes allées au Maroc.

« Emilie, m'avait dit maman avant le départ, Suzanne est un peu fantasque, tu le sais. La vie n'a pas toujours été simple pour elle, et... Bref ! Je te demande une chose : dès ton arrivée à Marrakech, achète une carte postale, n'importe laquelle, une de l'hôtel, une moche, je m'en fiche. Sur cette carte tu écris ce que tu veux, « il fait beau le voyage s'est bien passé je n'ai pas vomi dans l'avion », et tu rajoutes : « Tante Suzanne va bien. » D'accord ?

— D'accord...

— Elle lira la carte je la connais elle est curieuse comme une vieille pu... enfin, elle est curieuse, donc : tu dessineras une croix si tout se passe bien, deux croix si tout se passe vraiment très très bien et bien sûr... s'il n'y a pas de croix... je comprendrai, j'ai le numéro de l'hôtel j'appellerai aussitôt, fais-moi confiance.

Je peux le dire, ma mère avait la passion des croix, ma mère voyait des croix partout et en avait deux accrochées à son cou, qui côtoyaient trois médailles de la Vierge, une de Lourdes l'autre de la rue du Bac, sans compter celle de son baptême qui était toute grêlée car c'était une petite fille nerveuse et elle l'avait mordillée toute son enfance.

A Marrakech, je me suis aimée. Je me suis regardée dans la glace et je me suis trouvée jolie. C'était la première fois. Et cette révélation confirmait ce que je pressentais obscurément de la vie, à savoir qu'un jour, j'allais y aller. J'allais foncer tête la première avec toute mon énergie retenue dans un quotidien passable, en constante référence à une morale qui permettait aux névroses de mes parents de briller dans le camp des bonnes mœurs et d'une vie chrétienne. Dans les souks les artisans demandaient mon âge, ils disaient « elle est belle la gazelle », et tante Suzanne répondait « elle est mineure mais mariée et son mari arrive demain ». Et puis, de ses ongles mal peints elle choisissait avec moi des tissus et des bagues grosses comme le poing. Ça sentait le cuir et la liberté. La menthe et l'eucalyptus. Je marchais comme une reine, je le sentais, j'avais des fesses, j'avais des seins, j'avais un rire clair et long, des bracelets de pacotille sur mes poignets bronzés, j'aimais regarder les gestes de mes bras, je me surprenais à me plaire.

Au bar de l'hôtel le piano était désaccordé et chaque soir le pianiste jouait en boucle « My way » et « Ché sera », en loupant la moitié des dièses. Je m'efforçais de ne pas penser à Christine, et je me demandais si ma vie serait comme ça plus tard, si j'aurais droit à ça souvent, me balader dans des odeurs de jasmin et d'épices, d'animaux morts et de fleurs séchées, et est-ce qu'il n'y avait pas, partout dans le monde, des hôtels pas chers avec des pianos anciens, et tout autour des gens tellement légers qu'ils oublient de dessiner des croix sur des cartes postales délavées, et tombent amoureux les uns des autres sans jamais marquer un temps d'arrêt.

J'ai vingt-cinq ans de mariage, j'ai eu trois enfants du même homme, trois filles, et chacune est partie, chacune a quitté la maison sans prévenir, enfin en prévenant, mais trop tard et pas comme il fallait, avec trop de bonheur peut-être ou trop d'insouciance ou pas assez d'hésitations, enfin quoi qu'il en soit elles sont parties, elles m'ont quittée, c'est dans l'ordre des choses, ainsi que le dit leur père.

— Ecoute Marc, c'est peut-être dans l'ordre des choses, c'est peut-être normal, inéluctable, biologique, physiologique et même sociologique et je m'en fous ! Parce que contrairement à toi je ne pense pas uniquement avec ma tête !

— Ah oui ! La femme pense aussi avec son ventre ! Elle donne la vie et nous faisons la guerre ! Où as-tu mis les billets de train ? Décidément je déteste ces réservations sur Internet. Et ne me dis pas que les hommes n'ont aucun sens de l'organisation.

— Je n'ai rien dit. Les billets de train sont dans mon sac.

C'étaient des discussions puériles et inutiles. Elles avaient l'ironie des gens qui s'agacent et se connaissent si bien que tout mystère, toute surprise sont impossibles, ne reste que cette certitude que l'on pourrait dire avant l'autre ce qu'il pense et la façon dont il va défendre son point de vue. Alors bien sûr, on est fatigués.

J'enseigne dans une école maternelle. L'école où je travaille n'est pas loin de la maison j'y vais à pied, j'évite le métro, la foule qui se flaire et ne s'aime pas. Je suis institutrice – on ne dit plus « institutrice » on dit « professeur des écoles », c'est plus long, plus hypocrite et tout autant mal payé. J'apprends à lire. Depuis plus de vingt ans. A des enfants qui comprennent. Qui apprennent. Qui retiennent.

Christine ! Christine je SAIS que tu peux le faire !
Beu et A : Ba. CEU et : A. CA ! DEU et A : DA !
C'est simple !

Quand elle voyait que je perdais mon calme,
Christine courait vers ma mère en la suppliant :
« Maman ! Maman ! Hein que moi je suis ta
croix ? » Et ma mère prenait son air le plus accablé et
néanmoins le plus courageux pour souffler : « Ah ça
oui ma pauvre Christine, tu es ma croix ! »
Et Christine revenait triomphante dans la chambre et me disait : « Alors pourquoi tu t'énerves ? »

Pourquoi est-ce que je m'énervais ? Je voulais
qu'elle puisse tout faire, en plus de chanteuse et
femme de Ringo... Je lui apprenais à tracer des lettres bâtons, et elle y arrivait, mais j'ai jeté ses cahiers
comme j'ai jeté les miens, avec ce sentiment pourtant que je me trompais. Sur la valeur de ces lignes.
Les efforts qu'il y avait derrière. Car pour Christine,
la porte n'était pas seulement entrebâillée. Elle était
inaccessible.

## Le premier amour

Je lui ai à peine appris à écrire. Jamais à lire. Sûrement parce que je le voulais moins qu'elle. Je crois
que j'avais peur de ce qu'elle lirait dans le monde où
nous sommes, nous qui portons nos croix pour acheter notre paradis et attendons des vies entières une
annonce miracle sur une feuille de journal froissée.

J'avais conscience ce soir-là, tandis que les noms des villes de banlieue : Champigny, Rungis, Sainte-Geneviève-des-Bois, étaient déjà loin derrière et que je suivais la direction de Lyon, que ce voyage n'avait pas de sens. Pas pour les autres en tout cas. Comment l'expliquer aux autres ? Comment en parler à Marc ? Je ne voulais pas qu'il s'inquiète, je ne voulais pas que tout cela devienne un drame, sujet à dispute conjugale, c'était mon escapade, il s'agissait de mon histoire personnelle qui pour une fois n'était pas liée à la sienne. J'en avais assez de parler au pluriel. Marc et moi. Mon mari et moi. Votre père et moi. Nous allons partir en vacances. Nous fêterons Noël avec Untel. Nous mettons de côté. Nous avons pensé que. On a besoin de vous parler... Mon Dieu ! Même acheter une paire de chaussures ou changer de marque de dentifrice, s'avérait une action commune !

— Emilie ! Tu as cru cette pub idiote ? Tu as acheté ce dentifrice hors de prix qui a une triple action, comment un dentifrice peut-il avoir une triple action, moi-même qui suis un humain je ne crois pas avoir autant de capacités !

— Pas assez en tout cas pour connaître le prix d'un dentifrice, ni même l'adresse du Monoprix le plus proche !

Est-ce que ces disputes, en plus d'être totalement stupides et de nous rabaisser tous deux, n'étaient pas le signe d'un agacement autre, et bien plus profond ? Souvent je me disais qu'au lieu d'exploser de colère, de rancune et de frustration, nous donnions dans le vide des coups de patte mesquins, transformant les gestes et les paroles du quotidien en actes guerriers aussi insignifiants que deux figurines dans les mains d'un enfant.

Je devais téléphoner à Marc. Me débarrasser de cette explication au plus vite avant qu'il ait eu le temps d'alerter mes amis, nos enfants, et pourquoi pas mes parents pendant qu'il y était !

— Tes parents ! Mais aie un peu de clémence pour tes parents ! Deux vieux inoffensifs dans une résidence aseptisée, franchement c'est l'ère du vide, comment peux-tu avoir peur du vide ?

J'arrêtai ma voiture à la première aire de repos. L'idée que Marc ait pu appeler mes parents ne tenait pas debout mais me fichait en colère malgré moi. Car oui, j'ai peur du vide. J'ai peur de finir comme eux un jour, m'asseoir dans un fauteuil et geindre, jusqu'à ce que mort s'ensuive.

J'achetai une carte téléphonique au bureau de presse de l'autoroute et composai le numéro de la maison, depuis une cabine judicieusement placée sur le parking des camions.

— Marc…

— Bon Dieu c'est toi mais tu es où ? Qu'est-ce qui se passe tu vas bien ? Je suis mort d'inquiétude tu vas bien ?

— Tu n'as pas trouvé mon mot ? Je te disais de ne surtout pas t'inquiéter.

— Tu te fiches de moi ?

— Pardon…

— Tu es où ? Tu as oublié ton portable c'est l'enfer je suis mort d'inquiétude. Où tu es ?

— Tu n'as pas appelé mes parents ?

— Quoi ? Qu'est-ce que tout cela a à voir avec tes parents ? Il est arrivé quelque chose à tes parents ?

— Non, bien sûr que non, je voulais juste m'assurer que tu ne les avais pas appelés.

— Je n'ai appelé personne imagine-toi, je suis scotché près du téléphone depuis une heure, au début j'ai cru que tu me faisais une surprise, et puis j'ai…

— Une surprise ? Mais quelle surprise ?

— Mais je ne sais pas… Je… J'ai vu les draps en soie… Les cadeaux, les bougies… J'ai pensé que peut-être… Enfin c'est idiot, j'ai vite réalisé que c'était idiot, tu es où ? J'entends du bruit, des… des bagnoles ? Des camions ? Tu es sur l'autoroute ?

— Oui.

Il y a eu un long silence. Il avait peur. Seule la peur peut faire taire Marc. J'ai entendu qu'il buvait. Une grande rasade, puis il a repris :

— Tu rentres quand ?

— Je vais voir une amie en Italie.

— Ben voyons. Le soir de notre anniversaire. Comme ça, subitement. Une amie en Italie.

— Ça n'a pas de sens je sais…

Nouvelle rasade… Il avait fini par être débouché ce fameux Pommard…

— Marc…

Il a raccroché.

Je suis allée prendre un café à la cafétéria, pratiquement déserte à cette heure-là. Mon enthousiasme était retombé. Pourquoi étais-je partie si vite ? Pourquoi avais-je pensé que cette annonce me concernait ? Elle parlait d'Aix, mais ça pouvait aussi bien être Aix-les-Bains, ou Aix-la-Chapelle… Il avait dû y en avoir des Emilie dans ces villes-là, cette année-là. Combien d'anciennes Emilie se rendaient en Italie chercher un ancien Dario ? Est-ce qu'un garçon comme lui pouvait vieillir, devenir un cinquantenaire aux tempes grisonnantes et aux paupières tombantes, un homme dont le seul charme résidait dans un accent italien savamment entretenu et une façon faussement juvénile de se passer la main dans les cheveux ?

J'ai senti le regard d'un type sur moi, un type rond, tout luisant de sueur, qui devait avoir la quarantaine et dont la respiration rauque était celle d'un fumeur invétéré. Il avait l'air surpris. Il m'observait exactement comme si j'étais un objet exposé, mais pas au bon endroit. Je ne collais pas dans le décor. Même avec mes talons hauts, ma robe de mousseline, mes bas et mon maquillage fatigué déjà, je n'avais pas tout à fait l'air de celle qui racole sur l'autoroute. Où allais-je dormir ce soir ? Je n'y avais pas pensé… Combien de temps mettrais-je pour arriver en Italie ? J'ai horreur de rouler de nuit et j'étais fatiguée par ma journée, fatiguée par trop d'émotions et contrariée par mon coup de fil avec Marc. Il avait dit : « Au début j'ai cru que tu me faisais une surprise… » Il avait cru ça de moi. L'aurais-je cru de lui ? Jamais. Qu'aurais-je cru ? Qu'il avait une maîtresse ? Qu'elle lui avait dit : « Depuis le temps que j'attends, ce soir tu lui parles tu la quittes ! », toutes ces banalités dramatiques, ces ultimatums pathétiques… ? Est-ce que Marc avait une maîtresse ? Est-ce qu'il avait quelque chose à se reprocher ? Il n'avait pas été agressif, il avait paru inquiet, il avait bu, scotché, comme il le disait, depuis une heure près du téléphone.

Le type rond et en sueur me regardait maintenant en souriant à demi, il me fixait sans honte avec un air amusé. J'ai aussitôt tiré sur ma robe, rangé mes pieds sous ma chaise, et me suis dépêchée de finir mon café. Il a passé une main derrière son oreille, en a ramené une cigarette qu'il a tendue vers moi avant de la faire disparaître dans sa paume ouverte. Pauvre type… Cela me rappelait vaguement les soirées anniversaires chez mes cousines et leurs cortèges de spectacles affligeants. Il a sorti une pièce de sa poche, posé un verre dessus, puis posé une serviette sur le verre, je connaissais ça aussi, la pièce allait disparaître, acabri acabra. Quand il a soulevé la serviette avec un sourire matois, le verre n'était plus là. J'ai eu un petit mouvement de tête pour le féliciter de sa ruse, et me suis levée pour partir. Au même instant une femme s'est approchée de lui, je la reconnaissais, c'était la barmaid. Elle avait fini son service. Il s'est levé et lui a chuchoté quelque chose à l'oreille, elle écoutait en me regardant.

Je suis sortie.

L'air était lourd. De jeunes Espagnols mangeaient des sandwichs adossés au capot de leur voiture, la radio poussée à fond sur du rap, une famille pique-niquait un peu plus loin, un chien aboyait dans une voiture, les camionneurs parlaient entre eux, échangeaient des anecdotes en tirant sur leurs cigarettes. J'allais monter dans ma voiture quand la barmaid est arrivée. Elle avait couru pour me rejoindre.

— J'ai oublié quelque chose ? je lui ai demandé.

Elle avait du mal à reprendre sa respiration, et appuyait fort ses deux mains sur ses hanches, comme pour se tenir elle-même.

— C'est mon mari. Il dit que vous avez raison.

— Pardon ?

— Je sais ça paraît bizarre, mais il est magicien.

— Oui, j'ai vu.

— Et il lit dans les pensées.

— C'est bien…

J'ouvrais ma portière et rentrais en vitesse dans la voiture. La barmaid a tenu la portière et a répété :

— Vous avez raison. Il voulait que je vous le dise. Vous avez raison.

Je l'ai regardée. Elle n'était plus toute jeune. Depuis combien de temps travaillait-elle sur l'auto-route ? Une nuit elle n'avait pu trouver le sommeil, parce que le lendemain elle avait un entretien d'embauche avec un petit homme sec, habillé de noir et bourré de tics nerveux. Il avait été un peu sadique avec elle, il essayait de la faire pleurer, mais elle avait tenu bon et elle avait eu le poste. Il l'avait vivement félicitée en lui serrant la main, et lui avait dit qu'il avait voulu éprouver sa résistance, car les clients n'étaient pas faciles, elle en verrait des vertes et des pas mûres, il fallait s'attendre à tout dans son métier, au fait, était-elle libre ce soir ?

— Je vous remercie, j'ai dit.

— De rien. Tant qu'on peut rendre service.

Il me semblait qu'elle attendait quelque chose en retour, un peu d'argent ? C'était trop facile, je n'avais rien demandé, ce type m'avait dévisagée sans vergogne et j'imaginais facilement qu'il devait dire à tout le monde : « Vous avez raison », pour empocher le pourboire. Le genre de phrase passe-partout, « Aimez-vous les uns les autres », « Le bonheur n'est pas loin », « Vous avez raison ». J'ai eu envie de la piéger gentiment :

— Qu'est-ce qu'il a lu d'autre dans mes pensées, votre mari ?

Elle a eu l'air embêté et a regardé aussitôt le parking, le cherchant du regard.

— Il vous a pas dit ?

— Il m'a dit de pas vous le dire.

On y était. Le coup du pourboire. J'ai claqué la portière, que j'ai aussitôt verrouillée de l'intérieur. La barmaid avait l'air contrarié, c'est le moins qu'on puisse dire. J'ai eu peur un instant que son mari soit le genre de salaud à la tabasser si elle revenait les mains vides. J'ai baissé un peu la vitre.

— Vous semblez ennuyée, quelque chose ne va pas ?

Elle a regardé encore un peu le parking, puis chuchoté :

— Allez-y doucement.

— Où ça ?

Elle m'a regardée comme si j'étais le spécimen le plus taré qu'elle ait jamais vu sur cette autoroute où défilaient pourtant tous les déglingués des quatre horizons. Elle a hésité une seconde et elle a soufflé avec toute la haine que je lui inspirais, moi qui la forçais à mentir à son homme :

— Ben ! En Italie !

Et avant que j'aie pu demander quoi que ce soit, elle était partie en courant.

J'ai démarré en vitesse, et je suis partie moi aussi.

Je n'avais plus sommeil du tout. Et pour une fois, je me fichais de rouler de nuit. J'ai allumé la radio. France Gall chuchotait « Evidemment… Evidemment… On rit encore pour des bêtises, comme des enfants… Mais pas comme avant ».

J'ai poussé un gros soupir malgré moi, renversé ma tête contre l'appui-tête… J'étais drôlement bien.

Pour la première fois, je me disais que mes filles avaient bien fait de quitter la maison. J'étais aussi légère que si je n'avais jamais porté trois fois un bébé. Qu'est-ce qu'elles s'imaginaient ? Que parce qu'elles m'avaient toujours appelée « maman », c'est ce que j'avais toujours été ? Elles m'avaient baptisée, elles m'avaient mise au monde ? « Je t'ai faite mère » disait Marc quand nos disputes prenaient une sale tournure. A qui devais-je dire « merci » ? A lui ou à mes filles, elles qui souriaient avec indulgence quand je leur racontais quelque chose qui m'était arrivé « quand j'avais leur âge », et finissaient par dire doucement, avec des précautions lasses : « On sait maman, on sait », comme on tente de calmer un malade qui a la fièvre et délire un peu. Ben non, mes chéries, vous ne savez pas. Vous êtes arrivées dans un monde rempli de vieux : vos parents, vos oncles et tantes, vos voisins, vos profs, les commerçants et les docteurs, sans parler des grands-parents et de tous ceux qui ont des places prioritaires dans le bus et la file de taxis. Et les instants où on se sent léger, où le monde est en nous, prêt à exploser, n'est rien par rapport à la vieillesse que l'on porte en soi, offerte à la naissance. Ainsi, quand on débarque, on a à peu près le même âge que tous ceux qui nous entourent. Bien sûr, c'est moins visible. Et si vous saviez comme c'est long et commun à tous, ce qui vous attend ! Si vous saviez comme il va y en avoir des queues dans les supermarchés, des patrons qui vous méprisent, des factures et des nuits blanches, des paroles qui vous font mal, des amis qui trahissent et des enfants qui s'éloignent, des faits divers sordides, des guerres lointaines, des massacres à la télévision et vos voisins qui font du bruit. Ce soir est un soir d'autoroute. Il fait nuit et il n'y a ni décor autour de moi, ni téléphone dans mon sac, ni passager à mes côtés, pas même une valise dans le coffre, un chien assoupi, un mot dans le vide-poche, il n'y a rien.

Un magicien peut-être, qui pense que j'ai raison d'aller en Italie – évidemment, sur l'autoroute A6, il y avait peu de chances pour qu'il me félicite d'aller à Bruxelles… Les escrocs ne sont pas seulement psychologues, ils sont aussi logiques.

Tout de même, vers deux heures du matin, alors que j'approchais de Lyon, la fatigue s'est fait sentir. Je manquai m'assoupir plus d'une fois, j'étais engourdie, légèrement migraineuse. A la hauteur de Châlons, je m'arrêtai dans un Formule 1. Les néons éclairaient le hall grisâtre comme en plein jour, il n'y avait personne à l'accueil, qu'une machine dans laquelle j'ai introduit ma carte bleue et qui m'a donné un numéro de chambre et la carte magnétique qui l'ouvrait, et je me suis dit que l'enfer devait ressembler à cet hôtel sans hôtesse, l'enfer était sûrement posé au bord de la route, ouvert à toutes heures et à tous, laid, anonyme et trop éclairé. Et pourtant une fois dans la chambre, tout a été du plaisir : ôter enfin la guêpière, les bas, la robe, les talons hauts, prendre une longue douche chaude et me coucher dans des draps propres. J'ai souri de bonheur quelques secondes, avant de tomber dans un sommeil lourd et sans rêve.

Quand je me suis réveillée, l'enfer était de nouveau à ma porte. Le bruit des véhicules lancés à toute allure sur l'autoroute n'était rien en comparaison de celui que faisaient les bus à l'arrêt sur le parking et dont le moteur restait allumé, on passait l'aspirateur dans le couloir en cognant les murs, une radio hurlait des pubs pour des chaînes de supermarchés et des vidanges pas chères, le téléphone de la réception sonnait dans le vide, qu'est-ce que je fichais là ? N'aurais-je pas dû me réveiller dans les bras de Marc, en guêpière dans des draps en soie, des cadeaux déballés au pied du lit et des verres vides posés près de bougies consumées ? Qu'est-ce qui m'avait poussée à fuir un anniversaire que j'avais mis tant de temps à préparer ? Et quel était le but de cette annonce ? Il voulait vérifier quoi, mon bel amoureux ? Il venait d'apprendre qu'il avait un cancer, il rédigeait ses mémoires, il testait son pouvoir de séduction, tant de temps après ? De tout cela je ne savais rien. Mais je faisais confiance à Dario et confiance aussi à ce mouvement subit qui m'avait jetée hors de chez moi. Je me sentais forte comme une femme trop alanguie qui soudain décide de plonger dans l'eau glacée et en ressort le souffle coupé, le sang renouvelé.

J'avais eu tort de prendre l'autoroute. Ce que je devais faire c'était filer m'acheter des vêtements confortables et suivre la nationale. Aller à Gênes au rythme que je déciderais et qui serait bon pour moi.

Du téléphone posé sur la table de nuit scellée dans le mur, j'appelais Marc. Le téléphone a sonné longtemps avant qu'il ne réponde, je savais qu'il était sous la douche à cette heure-là. Je pouvais deviner qu'il s'essuyait les cheveux d'une main, tout en décrochant de l'autre, je pouvais imaginer sa tête légèrement penchée, ses yeux plissés, les gouttes d'eau dans son cou.

— Marc, c'est moi. Ecoute, c'est vrai je vais en Italie. Ce n'est pas une amie que je vais retrouver c'est…

— J'ai lu tous tes SMS tu sais ? Et écouté ta boîte vocale aussi. Soit tu as plusieurs téléphones, soit tu caches drôlement bien ton jeu.

— Je serai de retour dans une semaine, pas plus.

— Est-ce que je peux te joindre quelque part ?

— Non, c'est moi qui t'appellerai, donne-moi ton numéro de portable je ne le connais pas par cœur, et puis celui des filles aussi, tu n'as pas appelé les filles j'espère ?

— Cesse de me dire qui je dois appeler ou non. Bien sûr que j'ai appelé les filles ! Qu'est-ce que tu aurais fait à ma place ?

— Je peux noter, donne-moi les numéros.

— A tes risques et périls.

— Pardon ?

— Appelle-les si tu veux, mais je doute qu'elles soient aussi calmes que moi.

— Et pourquoi ? Pourquoi est-ce qu'elles ne seraient pas calmes ? En quoi est-ce que ça les concerne que j'aille en Italie ? Je ne vais pas passer ma vie à vous rendre des comptes à tous, sur ce que je fais, ce que je pense et ce que j'envisage, mais vous vous prenez pour qui ?

— Pour ta famille.

— Génial ! Tu peux garder les numéros.

Et j'ai raccroché.

La première fois que j'ai vu Dario, il en embrassait une autre. C'était une de ces boums moites dans lesquelles je n'avais pas le droit d'aller, mais qui avaient l'avantage de se dérouler tous volets fermés, pas de risque que ma mère m'aperçoive du dehors, je n'étais pas la seule à être là en cachette et les copines ne trahissaient pas, à moins bien sûr qu'on leur ait fait une vacherie. C'est pourquoi je n'ai pas hurlé de dépit cet après-midi-là quand Coralie Finel (qui était obèse, malgré son nom si mal assorti) lui en roulait une pendant que les Rolling Stones criaient après Angie. Embrasser Dario sur « Angie Oooh Aaaangie ! » était le rêve partagé par la moitié des filles du lycée, l'autre moitié étant soit homosexuelle soit en proie à de profondes névroses ou des paralysies faciales. Dario n'était pas avare, et la moitié du lycée savait à quoi s'en tenir : il était beau, doué, et infidèle. Pas une des filles jamais, n'aurait osé lui demander de prêter serment, encore moins de s'y tenir. Elles roulaient la langue dans le bon sens en remerciant le ciel et la frontière italienne si proche, qui permettait cette émigration bénie. Toutes les filles sauf moi bien sûr. Je n'étais ni homosexuelle, ni paralysée, pas plus névrosée que les autres et pourtant... Dario Contadino ne me regardait pas ! Et cet après-midi-là, tandis qu'il embrassait Coralie Finel en lui caressant la nuque d'une main tandis que l'autre prenait appui sur son énorme cul, je me sentais prise dans un tumulte de contradictions. Je le connaissais de nom et de réputation, sa photo circulait, son prénom était gravé sur les pupitres et les murs des toilettes, des phrases aussi poétiques que : « Oh Sainte Vierge ! Toi qui as fait l'enfant sans faire l'amour, fais que je fasse l'amour AVEC DARIO !!!! sans faire d'enfant », ou encore « Dario passe de main en main, la main de Dario passe bien », des choses comme ça. Il n'avait donc a priori rien pour me plaire, j'étais fleur bleue et exclusive, je rêvais d'un amour tourmenté avec un Heatcliff provençal, quelque chose de compliqué qui m'aurait ravagée, laminée, laissée exsangue et assouvie. Mais cet après-midi-là, la main de Dario dans les cheveux de Coralie, ses doigts emmêlés à ses mèches blondes un peu poisseuses, me troublaient plus que je ne saurais le dire. Il avait une façon de répéter son geste en alternant la douceur et la fougue, qui me fascinait. Le pire je crois était quand il y allait lentement. La lenteur et la fausse hésitation de ses doigts me donnaient envie de hurler. Il était habile et ménageait ses effets avec une paresse tout étudiée.

— Il est bandant, non ? m'a demandé Magali Blanc, aussi fière que si c'était elle qui l'avait élevé. « Bandant » ? C'était donc ça. Ce que je ressentais. Le désir. Comme un homme. On ne m'avait pas prévenue que ça marchait dans les deux sens. Ma mère disait toujours « les hommes sont des chiens », aussi la première fois que j'avais vu un teckel s'acharner des heures durant sur une bâtarde un peu trop haute pour lui, j'avais décidé sans remords que l'amour n'était pas pour moi.

A la fin du célébrissime slow, Coralie Finel, qui savait que ses heures étaient comptées, a pratiquement dévoré Dario. Elle ouvrait la bouche tellement grand, on aurait dit qu'elle voulait l'avaler. Il ne se défendait pas, il connaissait par cœur ce genre de regret anticipé. « Pourvu qu'il soit vacciné contre la rage » m'a soufflé Magali jalouse, avant de se précipiter vers lui, une bouteille de Coca à la main : elle voulait qu'il récupère un peu avant de danser avec elle sur « Que je t'aime ».

Coralie Finel s'est littéralement écroulée à mes côtés en soufflant un « putain ! » des plus romantiques.

Debout au milieu du salon plongé dans la pénombre, Dario s'est essuyé le front d'un revers de poignet. Il a tourné la tête et sans qu'il le veuille, j'ai reçu son regard. Un regard un peu paumé, d'un bleu presque absent. Un regard qui signifiait clairement qu'il n'était pas là. Pas là du tout. Mais alors où était-il, tandis qu'il flirtait à une cadence soutenue avec toutes celles qui se présentaient à lui ?

Je me suis levée et suis partie avec une certitude : l'amour n'avait rien à voir avec les teckels.

— « Il avait rêvé sa vie, il a vécu ses rêves, il avait rêvé sa vie, il a vécu ses rêves, il avait rêvé… »

— Hé ho ! Christine ! C'est bon, tu le sais.

— Tu crois ?

— J'en suis sûre.

— Ça lui fera plaisir ?

— Très.

— Le « bonne fête maman » je le mets où ?

— Comment ça, tu le mets où ? Tu le mets où tu veux, c'est quand même pas compliqué de dire « bonne fête maman », laisse-moi deux secondes là, je révise.

— Moi aussi je révise. « Il avait rêvé sa vie il a vécu ses rêves il avait vécu ses vies… » Non. « Il avait ses vies et moi mes rêves… Il avait ses rêves et moi ma vie… » Je m'en souviens plus ! Je m'en souviens plus !! Je m'en souviens plus !!!!

Elle s'est jetée tête la première contre le mur, et elle ne s'est pas loupée. Le verre brisé de ses lunettes lui a éclaté l'arcade sourcilière, je ne savais pas que

48

l'arcade sourcilière pouvait saigner autant et si longtemps.

Assise dans la salle d'attente des urgences, une
main crispée sur la compresse qui recouvrait son œil,
elle continuait à répéter tout bas ce que la journaliste
avait dit de Mike Brant le 25 avril 75 : « Il avait rêvé
sa vie, il a vécu ses rêves », auquel elle voulait ajouter
« Bonne fête maman », car elle dédiait ce « poème »
à notre maman chérie, dont ce n'était pas du tout la
fête, et qui pour l'heure me fusillait du regard en tri-
turant nerveusement les croix accrochées à son cou.
J'en étais quitte pour une interdiction de sortie et
surtout une mauvaise note à mon devoir d'histoire –
je n'avais pas le cœur à réviser l'assassinat de duc
François-Joseph et ses conséquences tragiques sur la
scène internationale, dans les couloirs de l'hôpital
d'Aix. Mais je comprenais les conséquences parfois
tragiques sur ma vie, de ce putain de chromosome
surnuméraire qu'avait Christine, et auquel je devais
veiller comme si je le lui avais moi-même offert avec
la hantise qu'elle le perde.

Le regard un peu paumé de Dario tandis qu'il s'essuyait le front après avoir été dévoré par l'énorme Coralie Finel, ne cessait de me hanter. Ce regard fatigué qui lui avait échappé pour arriver directement dans le mien, je ne savais quoi en faire. Je l'interprétais de différentes façons : fatigue, écœurement, ou bien encore geste de sportif entre deux combats, d'artiste entre deux performances. J'avais l'impression d'avoir vu Dario Contadino en coulisse. C'était troublant. Et donnait envie d'en savoir plus sur son intimité. Ainsi au début, c'est peut-être plus par curiosité que par attirance que je me suis liée avec lui. J'avais décidé d'adopter une attitude amicale, presque masculine, de devenir quelqu'un d'un peu hybride, comme les Jeannettes à qui maman faisait le catéchisme le mercredi après-midi dans le salon. Je les croisais souvent, avec leurs queues-de-cheval blondes, leurs genoux écorchés et leur bonne volonté. Elles avaient tellement envie de correspondre à ce que Baden Powell attendait d'une jeune catholique accomplie, elles acquiesçaient à tout : la B.A. quotidienne, les messes en plein air, les trois accords de guitare qui accompagnaient « Les scouts ont mis la flamme » ou « C'est la cloche du vieux manoir », elles avaient la gentillesse chevillée au corps et le sac à dos jamais trop lourd, malgré les pierres dont elles le chargeaient parfois pour que l'effort soit plus grand, vraiment elles faisaient de leur « mieux oui mieux mieux mieux ! » ainsi qu'elles le scandaient en chœur. Elles se surpassaient même, je peux le dire, chaque mercredi après-midi dans mon salon. Maman les menaçait de l'enfer avec des trémolos dans la voix, et les chaudrons bouillonnants et les diables poilus n'étaient rien à côté du démon sournois, tapi en chacune d'elles et prêt à se déchaîner sans prévenir. « Les cicatrices de Dracula » ou « Massacre à la tronçonneuse » à côté, c'était de la camomille. Je ne sais si elles y croyaient ou faisaient semblant, quoi qu'il en soit, avec Christine elles nous faisaient de la peine. Aussi quand maman se levait pour préparer les citronnades de l'amitié qui clôturaient la séance, j'apportais le mange-disque dans le salon, et Christine entonnait son play-back préféré et qui se prêtait on ne peut mieux à la circonstance : « C'est ma prière », bien évidemment. Elle en faisait des tonnes. Non seulement elle se déhanchait plus que de coutume, mais elle s'approchait d'elles pour leur poser un doigt sur le nez en dodelinant de la tête, ou leur pincer la joue, leur donner une petite tape dans la nuque, les Jeannettes hésitaient entre le fou rire et la pitié, elles étaient circonspectes et filaient sans un mot après la citronnade tiède et les images pieuses données par ma mère comme autant de bons-points. « Sainte Blandine dévorée par les lions », « Saint Victorin pilé dans son mortier », « Saint Claudien coupé en petits morceaux et éviscéré », après ça je me demandais comment elles avaient encore le cœur à chanter le célèbre canon « J-O-I-E ! J-O-I-E ! Joie joie joie ! ».

Voilà. C'est à peu près comme ça que j'avais décidé d'approcher Dario : avec bonne volonté et sans plus jamais penser au trouble qui avait été le mien alors qu'il malmenait les cheveux sales de Coralie Finel. Ça, c'était une image que je chassais aussi souvent qu'elle apparaissait, c'est-à-dire toutes les deux minutes à peu près, et je me sentais comme une avocate amoureuse de son client, un archéologue épris de ses ruines, bref j'étais désorientée.

La première fois que je l'abordais, c'était à la MJC du boulevard de la République. Il ne faisait partie d'aucun groupe de guitare, de théâtre ou de danse, il était toujours posé là comme par hasard, et les filles lui tombaient dans les bras parce qu'il était beau, disponible, et la plupart du temps inoccupé. On ne l'admirait ni pour sa façon démente de jouer de la batterie, ni pour ses tirades de jeune premier larmoyant, il était là et on se servait.

— Ce qui est bizarre, c'est qu'aucun mec ne lui ait encore cassé la gueule, tu trouves pas ?

Mon amie France craignait toujours qu'il arrive quelque chose à Dario. Elle le voyait comme une idole en proie aux fanatiques extrémistes, un saint à qui il aurait manqué quelques gardes du corps attentifs. Elle n'avait peut-être pas tort.

— Ce qui est réellement bizarre France, c'est qu'aucune fille ne lui ait encore crevé les yeux. C'est plus facile de se prêter Dario qu'un billet de dix francs. Mais si un jour l'une de nous le pile dans un mortier, faudra pas s'étonner.

— Tu as de ces idées ! C'est dégueulasse !

Ce jour-là Dario écoutait distraitement quelques copains massacrer « Let it be » sur une estrade de bois poussiéreuse, avec des guitares mal accordées et des voix impossibles à maîtriser pour ces ados en pleine mue, qui confondaient leurs aigus stridents avec des envolées lyriques et leurs basses vacillantes avec des virilités inquiétantes. La chanson des Beatles n'était qu'un alibi à leur narcissisme tribal, ils se fichaient pas mal que ce soit un massacre, pourvu qu'eux y croient à fond. Ils étaient d'un égoïsme bruyant. Dario s'ennuyait et l'ennui lui allait bien. Il penchait un peu la tête et ses cheveux blonds caressaient son visage, il regardait ses copains les yeux à moitié fermés, il savait éloigner ce qui le gênait et je n'ai jamais vu quelqu'un sachant s'abstraire avec autant de présence.

Je me suis approchée, il s'est redressé un peu, toujours prêt à rendre service, je lui ai tendu la main comme je voyais les garçons du lycée Mignet le faire à ceux de l'équipe adverse à l'issue d'un match de hand. La surprise l'a fait sourire, j'ai dit exactement l'inverse de ce que j'avais envie de dire :

— Je m'en vais.

Pour quelqu'un qui venait d'arriver et lui adressait la parole pour la première fois, c'était étrange j'en conviens. Je me suis donc empressée de rajouter :

— Mais je reviendrai.

Il a éclaté de rire et le batteur du groupe a éructé dans son micro un « y en a qui bossent ! » qui laissait

deviner ce que ce type deviendrait plus tard : guichetier. Alors on s'est mis à chuchoter, avec Dario. Tout
bas il m'a dit : « C'est toi Emilie ?

— Oui. Et toi, c'est comment ?

— Dario.

— Comment ?

— Da-rio. C'est italien.

— Mario ?

— Non !! Pas : MA-rio. DA-rio !

— Ario ?

— Dario !

J'adorais l'entendre prononcer son prénom ! J'aurais
fait n'importe quoi pour qu'il le dise et le redise.
J'adorais qu'il se présente à moi avec autant de bonne
volonté. Mais le plus bluffant était qu'il connaisse
mon nom. J'ai voulu rester cohérente et j'ai répété :

— Je m'en vais.

Après un coup d'œil dégoûté à l'estrade il a dit :

— Moi aussi.

Le guichetier et ses compagnons ont tout de
même marqué un léger temps d'arrêt quand ils nous
ont vus quitter la salle sur la pointe des pieds, en chuchotant : « Dario ? Mais Dario comment ? Contadino. Ah Ario Contadino ? Non : DArio ! Da ! Da !
Ah ! DArio ! DArio ! Si ! »

Ah... Dario... Dario Contadino... C'est comme
ça que tout a commencé. Mezza voce...

Je suis plus jeune aujourd'hui qu'à 20 ans. Mes désirs sont plus légers, mes a priori aussi. Je voulais me marier, avoir des enfants, un métier, des amis, des vacances et des Noël. J'ai eu tout ça. J'y ai mis tant d'énergie, de peur et d'attention, j'ai suivi tant de conseils, lu tant de livres, de magazines, passé tant d'heures au téléphone avec des amies qui avaient des enfants du même âge, des maris trop sérieux ou volages, trop présents ou pressés, et qui me donnaient des adresses de gîtes de France, de pensions pas chères, de baby-sitters sérieuses, de médecins compétents, de psychologues disponibles, on échangeait nos colères et nos fatigues mais jamais pour s'en débarrasser, toujours pour les surmonter, les faire passer pour une défaillance passagère, on avait tort. Rien de tout cela n'était passager, et j'ai perdu tant de temps à prendre sur moi que je suis passée par-dessus bord. Et aujourd'hui mes propres enfants, qui m'ont pris mon sang mon temps mes nuits mon insouciance mon argent mon nom, ces enfants n'étaient pas d'accord pour que j'aille en Italie ? N'étaient pas d'accord ? C'était à mourir de rire, vraiment !

Au nom de quoi me serais-je retenue de partir ? Parce que ça n'était pas raisonnable ? Il fallait que je « ne fasse pas la jeune », que je sois la bonne gardienne de mon âge ? Combien de millions étions-nous à avoir exactement 48 ans ? Coralie Finel… France… Magali… Des classes entières de femmes de 48 ans, d'anciennes amoureuses, de jeunes grands-mères et de vieilles rêveuses. Car nous rêvons. Nous rêvons au baiser qui réveille la princesse qui a tellement dormi que ses cheveux sont devenus longs comme son ennui, et une annonce dans le journal nous met soudain sur pied, le cœur traversé d'un courant électrique, les yeux grands ouverts, et tout ce qui n'est plus de notre âge, peut enfin arriver.

J'ai été jeune de 16 à 17 ans.

Cette jeunesse-là est mon âge éternel.

Et je sais où le retrouver. Sur les hauteurs de Gênes, dans une villa jaune aux volets mal peints, aux plafonds trop hauts, aux chambres mal chauffées, et dans la cuisine cette odeur de savon blanc dans la chaleur des fourneaux pleins, du vin renversé sur la nappe trop lourde, le chien toujours chassé et qui revient sans cesse, les os rongés perdus derrière le buffet, l'ail suspendu et le jambon rouge, les talons des femmes qui courent dans les couloirs, les cris lointains du jardin, les volubilis fragiles comme des fleurs de papier, et sous un arbre peut-être, face au bleu lointain de la mer qui tremble, un regard perdu, infiniment bon, une présence douce, Dario Contadino.

— Moshe ? Il s'appelait Moshe ?

— Bien sûr qu'il s'appelait Moshe. Et il pipait pas un mot de français imagine-toi, et tu sais comment il les avait apprises ses premières chansons en français ? En phonétique ! Ce qui veut dire Christine, qu'il retenait les sons, tu comprends ? Pas ce que ça voulait dire. Il comprenait pas « C'est ma prière ».

— Une prière c'est une prière, tout le monde comprend la prière, parce que c'est une prière. Pourquoi tu dis des choses… comme ça… ?

— Comme quoi ?

— Tu me fais de la peine. Et quand j'ai de la peine je m'énerve tu le sais, pourquoi tu fais ça ? Comment il s'appelait Mike Brant ?

— Non je te le dis plus, tu vas t'énerver.

— Juré je m'énerve pas. Croix moi croix de fer !

— « Croix de BOIS croix de fer si je mens je vais en enfer », c'est maman qui ment, y a pas d'enfer.

— Comment il s'appelait Mike Brant, dis-le-moi je t'aime beaucoup. Comment il s'appelait ?

— Il s'appelait Moshe. C'est comme Moïse.

— Pourquoi ?

58

— Parce qu'il était juif.
— Ah…

S'il y avait à la maison, un argument de poids, c'était bien celui-là : « Parce qu'il était juif. » C'est grâce à lui que mes parents comprenaient le monde, qu'ils le plaçaient dans de minuscules tiroirs qui contenaient les questions et les réponses à l'histoire de France, à leur adoration du pape et à leur mépris pour tous ceux qui n'« arrêtaient pas de ressasser la Seconde Guerre mondiale sur laquelle on savait déjà tout et dont on parlait beaucoup trop ». Pétain, ainsi que le répétait mon père en clouant des papillons morts dans des cageots de légumes vides, Pétain était le vainqueur de Verdun et à l'époque « on ne savait pas ». C'était trop facile vraiment de venir donner des avis maintenant qu'on avait toutes les cartes en main, qu'on avait vu le film jusqu'au bout, mais eux à l'époque n'en savaient pas plus que les Juifs qui montaient dans les trains en famille et sans se poser de questions.

— Qu'est-ce que tu as raconté à Christine ? Que Mike Brant était juif ? Mais qu'est-ce que c'est ces magazines que tu achètes ? Et avec quel argent ?
— Parfaitement Mike Brant était juif et ses parents étaient tous les deux rescapés d'Auschwitz, c'est même pour ça qu'il était dépressif.
— Pas étonnant qu'il se soit suicidé. Jamais un chrétien n'aurait fait ça.

Tante Suzanne avait des souvenirs que maman n'avait pas. Elle avait été cette petite fille en chemise de nuit sur le pas de sa porte, qui voit descendre les voisins du dessus, un manteau posé sur la robe de chambre, une minuscule valise à la main, parce qu'ils sont juifs. Elle en avait gardé une peur de la nuit qui la faisait s'endormir avec la radio, la lumière du couloir allumée, comme une enfant. Je me demande ce qu'en pensaient ses amants. Peut-être que si elle s'était endormie chaque soir comme une adulte sans mémoire de cette nuit-là, le bruit des pas qui ne s'éloigneront jamais assez, la lumière pâle du couloir sur le visage de la voisine, sans cette incompréhension qu'elle avait alors de ce qui se passait vraiment, mais avec la sensation violente et oppressante que dans ce qu'elle ne savait pas, il y avait le pire, peut-être alors qu'elle n'aurait pas tenu tant d'hommes dans ses bras.

— Et comment est-ce que tu as osé dire ça à Christine ?
— Qu'il était juif ?
— Non ! Que l'enfer n'existe pas ?

Parce qu'il y a autre chose. Parce qu'il y a des lumières qui s'allument en permanence dans le monde, parce que quand je me couche d'autres se lèvent, parce qu'au moment même où je parle, deux personnes s'embrassent pour la première fois, je mets nos quatre couverts sur la toile cirée, et ils s'embrassent, je récite le *benedicite* et ils s'embrassent encore, Christine fait du bruit en mangeant la blanquette et ils s'embrassent toujours, mon père dit « je lui ai pas envoyé dire tu me connais la tête qu'il a fait t'aurais vu ça », et leur salive coule dans leur gorge, ma mère répond « je crois quand même que je ne l'ai pas assez salée, ne pose pas le pain à l'envers » et ils s'embrassent, ils s'embrassent, le monde tout autour devient malade et s'effondre, leurs corps prennent la place des montagnes et des arbres, Dario m'a donné rendez-vous cette après-midi à 15 heures devant le lycée des Prêcheurs et ma vie s'échappe par la fenêtre, Mike Brant était réparateur de frigidaires, il s'appelait Brand avec un D, il avait mis un T à la place pour ne pas faire frigidaire justement, il suffit parfois d'un minuscule détail pour que notre vie soit plus facile à porter, un D, un T, un prénom de crooner, un prénom italien, Dario, Dario Contadino m'attendait moi, Emilie Beaulieu. Moi et aucune autre.

Après Lyon, j'ai roulé lentement, le bras à la fenêtre, dans la campagne floue de ce jour de juin, l'air tremblait d'une chaleur condensée qui éclaterait bientôt. Quelque chose venait de cette terre qui m'était connu et qui m'appartenait, un peu comme un foulard pris dans les branches, que l'on ne parvient pas à atteindre et qui se balance au vent, un signe de nous-mêmes, personnel et perdu. J'avais perdu quelque chose dans cette campagne si française, aux verts dégradés, aux clochers fins comme des lames, aux cours d'eau clairs empoisonnés.

J'ai arrêté la voiture et marché le long d'un chemin sec, et cela enflait, un rêve présent mais impossible à saisir, je cherchais une image, un mot qui aurait ouvert la voie, mais devant moi il y avait juste le calme trompeur de villages éparpillés et de routes délaissées, et les gens d'ici, semblables aux gens de toutes les enfances, les personnages de la campagne, leurs mots lourds, les chiens aboyeurs dans les jambes sombres des femmes. Je suis arrivée dans un village que j'aurais voulu différent, moins obscur, plus attentif, mais seules les voix des télévisions s'échappaient des fenêtres, les présentateurs des journaux télévisés parlaient vaillamment comme ceux des jeux, et même dans l'annonce des catastrophes on aurait dit qu'il y avait quelque chose à gagner. Je suis entrée dans un café gris, les voix se sont tues. J'avais acheté à Châlons un jean et quelques tee-shirts clairs, des tennis roses, je marchais vite, poussée par ces semelles de caoutchouc qui donnaient envie de danser. J'étais petite et anonyme. Mais les voix se sont tues.

Je lisais le journal local en buvant mon café : noces d'or, concours de pétanque, Loto, bal des anciens et vente de vieilles charrues, de chiens, de brebis, de voitures… Pas d'Emilie ni de Dario. Aucun rendez-vous sur les hauteurs de Gênes. J'ai regardé les hommes autour de moi, ils avaient l'âge de ceux qui ont depuis longtemps perdu le souci de soi, on aurait dit que leur corps glissait le long d'eux-mêmes, s'attardant en paquets sur le ventre, le cul, les jambes arquées, ils ressemblaient à ces gâteaux mal cuits qui s'effondrent, ils s'en fichaient. Avaient-ils l'âge de Marc ? L'âge de Dario ? Tous deux avaient cinquante ans. Marc ne perdait pas ses cheveux, n'avait pas de ventre et ne fumait plus. Il faisait du sport, passait des lotions sur son crâne, des crèmes sur ses joues, et sur les photos en noir et blanc, il n'était pas si différent de celui que j'avais connu. Un jour alors qu'il riait avec les filles, il y a très peu de temps de cela, j'ai vu soudain son âge, comme ça, d'un seul coup. J'ai vu les rides aux coins des yeux et sur le front, la peau plus fatiguée, les tempes blanchies, tout ce qui se dessinait depuis des années m'est apparu en un seul instant. J'ai aimé cela. Il riait avec ses filles, il n'était plus le père sévère qu'il avait été, si souvent cassant et sûr de lui, infaillible. Le temps l'avait rendu indulgent, il était devenu un homme qui savait écouter, les femmes aimaient se confier à lui, elles me disaient « tu as de la chance ».

— Je crois qu'on se connaît.

La femme avait deux dents cassées. Elle était jolie cependant. Lorsqu'elle ne parlait pas ses yeux bleus prenaient toute la place et son visage était fin, un peintre l'aurait dessinée de profil, le tableau aurait fait croire à une jeune femme qui vient à peine de lever les yeux de son livre et regarde très loin devant elle, plongée dans une réflexion profonde. Elle était pleine de lumière.

— Vous croyez qu'on se connaît ? j'ai répondu.

— J'en suis sûre.

— C'est la première fois que je viens ici.

— Peut-être. Mais je vous ai déjà vue. Vous vous appelez comment ?

— Emilie.

— Venez Emilie, je vais vous montrer quelque chose. Mais si, venez.

Après la pénombre du café, le village était d'une blancheur cruelle. J'ai suivi la fille.

— Moi je m'appelle Sylvie, vous le saviez ?

— Non.

— Oh c'est pas grave.

On a marché en silence jusque chez elle, une cara-vane posée dans un champ, sous un arbre sec qui ne donnait pas d'ombre. Elle m'a offert de m'asseoir, quelques chaises de camping étaient disposées autour d'une table pliante.

— Ça fait plaisir, hein ? elle m'a dit en lançant un clin d'œil.

Et elle est montée dans sa caravane, chercher des bières, du saucisson, du fromage de chèvre, des olives noires et du pain, qu'elle a ramenés dans un panier, comme pour un pique-nique.

— Comment tu vas, toi ? elle a demandé tout à trac.

J'ai hésité un peu, j'avais faim et soif, le coin était joli, je ne voulais pas lui mentir. J'ai dit :

— Je trouve qu'on est drôlement bien chez toi.

— Merci… Sers-toi, je mets tout sur la table, tu te sers.

Et puis elle n'a plus rien dit. Elle mangeait et me souriait avec ses dents cassées qui disaient plus que les mots. J'ai eu du remords à manger autant :

— J'arrive les mains vides… Je suis désolée.

— Non, mais la prochaine fois c'est toi qui m'invi-tes.

Et puis elle a regardé devant elle avec satisfaction, on aurait dit qu'elle surveillait le paysage et se félici-tait de son calme. Elle mangeait sans plus se soucier de moi, je me suis renversée sur mon siège, ma can-nette de bière à la main, et j'ai fait comme elle, j'ai regardé ce paysage immobile, comme on regarde la mer. Elle me faisait penser à Christine, Christine pouvait faire ça : regarder droit devant et se taire. Avec sa respiration lourde, ses gros soupirs et ses mains posées à plat sur ses cuisses.

— Ma petite sœur Christine, elle est mongolienne.

— Oui.

— Je dis ma petite sœur parce que maintenant… qu'est-ce que je pourrais dire ? Elle me paraît plus jeune que moi, oui… Pourtant elle a plus de cinquante ans. C'est étrange ce visage qu'elle a… Comme une vieille petite fille.

— Oui.

— C'est comme une poupée. Les poupées que j'avais, petite, elles avaient des coiffures de dame, des… des sortes de permanentes. On aurait dit qu'elle avaient des implants sur le crâne, comme certains vieillards un peu chic. Les poupées d'aujourd'hui ne sont plus du tout comme ça… Christine, ma petite sœur, elle a l'air très jeune et très vieille.

— Moi aussi.

J'ai ouvert une autre cannette, et on s'est tues encore. Au bout d'un long temps j'ai rajouté :

— Maintenant c'est presque une vieille dame. Elle a droit au respect.

— Oui.

J'ai fermé les yeux. J'ai entendu des oiseaux épars, des avions hauts et réguliers, au loin de temps en temps un chien, et puis le silence encore, comme une présence qui s'impose. Il y a eu soudain le bruit d'un fusil, un vol d'oiseaux paniqués, leurs ailes battaient l'air en désordre, et le silence d'après, suspect. J'ai ri.

— Pourquoi tu ris ? Tu aimes ça, la chasse ?

— Je cherchais un souvenir, comme un rêve. Maintenant je me souviens.

— Tu es contente ?

— Oui. Très contente.

Je suis restée un petit temps à savourer mon souvenir, le plaisir que j'avais à me le rappeler enfin, et comme il était drôle aussi, et sensuel, et important. Avec Marc la première fois que nous avions fait l'amour dehors, dans la campagne en Picardie, nous avions aussi fait sans le savoir, notre premier enfant. Au moment même où j'étouffais le cri de ma jouissance, car des gens pique-niquaient à quelques mètres de là, un tir de fusil avait éclaté. Peu de temps après, Marc allongé à mes côtés avait murmuré : « Il a tiré un coup… » Je l'avais joyeusement bourré de coups de poing pour cette obscénité qui suivait notre étreinte et puis nous avions ri, heureux de notre audace, si jeunes, inconscients, fatigués et comblés de cette fatigue… Le lendemain tout serait changé. Il serait le papa et moi je serais la maman. Pour toujours. Quoi qu'il nous arrive, quoi que nous décidions, pour toujours ces rôles et cette responsabilité-là, ce prolongement de nous-mêmes qui nous trahissait autant qu'il nous surprenait.

— Je ne vais pas te déranger plus longtemps. Je vais y aller, j'ai de la route.

— Oui.

— Je te remercie.

— Embrasse Christine.

J'ai regardé autour de moi, le jerricane en plastique, le vélo sans pneus, les rideaux orange de la caravane immobile.

— Tu as besoin de quelque chose ? Est-ce que je peux faire quelque chose pour toi ?

— Je cherche un homme.

— Un homme ?

— J'aime pas dormir seule.

— Bien sûr… Tu es très jolie.

— C'est mes dents.

— Ça ne se voit pas.

— Non ?

— Je t'assure.

— Bon alors un homme gentil.

— D'accord. Un homme gentil.

— Sois prudente.

On s'est embrassées et j'ai marché un peu pour rejoindre ma voiture chauffée à blanc sous le soleil, les bières m'avaient heureusement engourdie, et avant de repartir, j'ai fait la sieste sous un arbre.

Quand le lycée des Prêcheurs était fermé et que nous étions sur la place, il apparaissait aussi étroit et insignifiant que sa porte en bois. A l'intérieur pourtant, on se sentait seul et perdu, c'était un ancien cloître aux larges escaliers défoncés, aux cours de récréation mal dessinées, prises entre des murs abîmés, d'énormes platanes malades, des W-C à la turque aux portes de bois fendu, toujours trempés et puants. Il accueillait les classes de la sixième à la troisième, il n'était pas mixte, le port de la blouse était obligatoire : rose pour les sixièmes (qu'on appelait « les petites roses ») bleu pour les cinquièmes, vert pour les quatrièmes et marron pour les troisièmes. Nos jupes à carreaux, nos robes chasubles dépassaient à peine de ces uniformes, nous ressemblions à de jeunes ouvrières mutées au mauvais endroit. Arrivées à la fin de ces quatre années, les filles étaient au bord de l'implosion et le lycée Cézanne, qui accueillait les secondes, premières et terminales, à la sortie d'Aix, au pied de la pinède, apparaissait comme une délivrance à toutes nos heures tristes dans les salles de science aux odeurs

de formol, les salles de techno et celles de couture
où l'on apprenait à tricoter des chaussons pour les
bébés, les séances de gym sur les graviers, la puan-
teur des vestiaires improvisés, la monotonie de ces
jours entre filles aux blouses usées, passées de sœur
en sœur au fil des ans, comme une litanie ancienne,
un accablement sans fin. Personne ne s'aimait, et
les profs paraissaient éternellement stupéfaits de
notre ignorance. Il leur semblait surprenant qu'on
ait le droit d'assister à leurs cours alors que nous
étions de toute évidence, stupides. Accablées. Semblables. Tous les professeurs étaient des femmes, il
va sans dire, sauf un vieux prof de maths aveugle
qui nous haïssait. Jamais il n'aurait dû se trouver là,
à enseigner les maths à des adolescentes bruyantes
et distraites. Il avait été chimiste. Une expérience
qui avait mal tourné l'avait rendu aveugle. Il tapait
souvent sur l'estrade avec sa canne, il voulait qu'on
le craigne, on le supportait à peine. Sa femme était
toujours à ses côtés, elle faisait l'appel, écrivait au
tableau, lui disait le nom de celle qui levait le doigt.
S'il n'avait pas été aveugle, nous ne l'aurions jamais
eu comme professeur. Seule sa femme avait le droit
de voir ces jeunes filles, elle nous lançait de brefs
regards gênés, et on n'aurait su dire si elle s'excusait
du caractère de son mari, ou de sa propre présence
sur l'estrade du savoir, elle qui n'avait aucun
diplôme.

La plupart de ces professeurs sont sûrement morts
aujourd'hui, ou sur le point de l'être. Aucun ne se

souvient de nous. Aucun ne pourrait citer un seul de nos prénoms. Nous avons été une sorte de horde de blouses roses, bleues, vertes et marron sur des corps pas encore formés, des jeunes filles qui défilaient comme défilaient les années, les congés scolaires, l'accumulation des points retraite et la fatigue, le cuir usé des sacoches aux copies gonflées d'écritures lourdes, de corrections inutiles. Nous avons été ces doigts levés, ces visages baissés, les rires moqueurs, les surnoms vengeurs, les pompes dans la trousse mal fermée, la transpiration rance de ces journées qui nous menaient jusqu'aux nuits d'automne, cette impossibilité à être brillantes, un troupeau de vierges boudeuses qui ne savaient pas qu'elles pouvaient être jolies.

Le lycée Cézanne n'était pas mixte non plus, mais par bonheur il y avait là les classes de Math sup et Math spé, un petit contingent de garçons qui se préparaient à être ingénieurs, accompagnés de quelques filles que l'on trouvait trop scientifiques pour être dangereuses. C'étaient des têtes. Nous étions le reste. Plus drôles, plus légères, totalement disponibles. Durant ces années de scolarité non mixte, les rares garçons que l'on pouvait rencontrer étaient soit des copains des frères aînés, pour celles qui avaient la chance d'en avoir, soit des voisins, au pire des cousins. La rareté de ces garçons dans notre entourage n'explique pas à elle seule le succès phénoménal de Dario. D'autres étaient heureux de jouer les exceptions au milieu de toutes ces adolescentes, et c'est bien cette joie satisfaite qui les rendait si peu attrayants, ils étaient prévisibles et souvent maladroits. Ils rendaient compte de leurs conquêtes, faisaient des rapports ironiques pour compenser leurs maladresses, ils n'étaient pour nous qu'un passage obligé, comme un vaccin, un brevet de natation, et jamais nous ne rêvions d'eux. Ils ne nous ont jamais fait pleurer. Nous éprouvions juste un peu de soulagement à « être sorties » avec des garçons plus âgés que nous, les futurs ingénieurs de Cadarache, l'élite d'Aix-en-Provence, aujourd'hui la plupart préparent le mariage de leurs enfants, leur retraite auprès de femmes désolées de n'être plus depuis longtemps celle que l'on attend.

Dario était déjà celui qui se souvient. Il avait à 17 ans cette proximité constante avec son enfance, qui lui donnait sa lumière. C'était depuis toujours, un être aimé. Contrairement aux matheux du lycée Cézanne, il avançait sans but. Sa mère lui répétait depuis le premier jour que son existence sur terre constituait à elle seule, un miracle. Non pas qu'il ait été malade, prématuré, condamné à quoi que ce soit. Simplement, qu'un être tel que lui pût exister était un don venu du ciel. Il convenait de l'accueillir comme tel sans lui demander de comptes. Dario est le seul adolescent des années 70 à Aix-en-Provence à pouvoir passer une annonce trente ans après sans que cela paraisse une seconde déplacé, ou vain. Il avait la grâce de ceux qui aiment les instants. Se

déplacent sans courir. Rient sans retenue et ne déses-
pèrent jamais. Et ce n'était pas une philosophie, une
religion, pas même un précepte de vie. Dario repré-
sentait simplement et sans le savoir, ce que la vie a
de meilleur. Elle avait griffonné ses brouillons de
fils, frères et cousins, plus ou moins aimables, plus
ou moins intelligents, courtois et sportifs, des êtres
qui s'efforcent de comprendre ce qu'ils lisent,
ramènent des bulletins scolaires meilleurs que ceux
du voisin et des filles timides, de celles qui « gagnent
à être connues » et attendent le signal, mariage ou
camp de voile, pour donner le meilleur d'elles-mêmes
quelques brèves années, avant de s'éteindre sans y
penser.

Et quand cet être-là vous donne rendez-vous sur
la place des Prêcheurs, devant votre ancien lycée
posé en face de la prison et du palais de justice, vous
savez soudain ce qui vous a manqué jusqu'alors, car
dans ce bonheur du « rendez-vous », ce mot que l'on
ne traduit pas, il y a le bonheur de comprendre soudain que vous pouvez vous aussi, être ce qu'il y a de
meilleur sur terre, et tant pis si votre mère ne l'a
jamais vu, vous le savez et vous vous le dites, vous le
répétez à vous-même pour avoir un peu moins le
trac mais surtout parce que ce sourire qui ne vous
quitte plus est la seule chose qui restera à jamais sur
votre visage. Lorsque tout se sera relâché, terni,
effondré, ce sourire sera semblable au sourire du premier rendez-vous.

Devant le lycée des Prêcheurs, c'était encore ce jour-là, un simple rendez-vous de bons camarades. J'étais encore cette jeune fille mal dégourdie, à la sensualité timide, qui pensait vouloir comprendre un garçon et qui ne savait pas que le cœur même de sa vie dépendait de cette rencontre. J'avais un corps de fillette qui ne me servait à rien. Des seins inutiles pris dans des soutiens-gorge lâches, des jambes en chaussettes et des cheveux attachés. Je ne savais pas que la silhouette de ce garçon, là-bas sur la place, contenait ma vie. Plus je m'approchais de lui, plus je rejoignais ce que j'étais : une fille. « Tu n'es qu'une fille » disaient les vieilles pièces de théâtre, les films en noir et blanc, une fille comme une insulte, même ça je le voulais bien. Je me sentais vibrante de sentiments qui n'avaient pas de noms, de sensations osées, violentes, chaudes jusqu'à l'étouffement. Je me sentais vraie. Mon rendez-vous était vrai. Ma journée était vraie. Et j'étais dedans. Pas par hasard. Etourderie. Obligation. J'existais en même temps que les fontaines, les tissus au soleil, les arbres, les cariatides, et même les barreaux de la prison, les marches pâles du palais de justice, le vendeur de bonbons et de chouchous dans sa camionnette, j'existais en même temps que toute chose, j'existais même avec ceux et celles qui m'avaient précédée sur cette place, les morts de cette ville, les cœurs éteints qui se réveillaient à me voir marcher ainsi vers la silhouette calme, infiniment patiente, de Dario. Eux et moi nous convergions vers lui. Tous les temps passés, présents et futurs convergeaient vers lui, c'était une attirance chimique, spirituelle, drôle et évidente.

Arrivée à sa hauteur, la hauteur de son sourire à peine dessiné, ses paupières baissées qui ne laissaient s'échapper qu'un tout petit éclat de bleu, arrivée près de ses mains blanches et fines de ceux qui n'ont jamais travaillé, de son visage incliné, de ses joues rosées comme un petit matin, arrivée tout près de son odeur de cannelle et de chaud, simplement j'ai dit, parce que c'était la seule chose dont je sois sûre enfin, j'ai dit :

— C'est moi.

Il a souri de ce sourire à peine, il n'avait pas besoin d'aller loin dans un mouvement, un geste, une expression, pour qu'elle soit vraie et juste. Il avait la grâce lointaine des tableaux florentins, et je pressentais que les hommes devaient l'aimer aussi. Il était beau comme une lumière. Un objet. Une forme. En le voyant ce jour-là sur la place, je pensais aussitôt : « ragazzo ». Et je pensais aussi que c'était pour lui qu'on avait inventé ce mot. Il était le ragazzo. Ce mot un peu âpre et qui s'ouvre pourtant, ce « o » à l'italienne, qui flirte avec le « a » qui triche avec la bouche, ragazzo, ce sifflement, cet appel qui insiste, ragazzo, ragazzo...

Un mouvement.

Une respiration.

Et quand je me retrouvais à la table familiale, le soir dans cette ambiance d'avant-guerre, cette lumière pour toujours ancienne et ces corps qui se taisaient, quand je me retrouvais assise là, j'étais (je le sais maintenant) posée à côté de moi. J'étais ma propre doublure, je faisais un peu de figuration, je disais « ma prof de français voudrait te voir » ou « oui si tu veux nous écouterons Claude François », « c'est vrai que les couleurs vives sont toxiques, sur les ailes des papillons ? ». Et on me répondait « ne me dis pas que tu as encore bavardé avec Gisèle Pinsard », « alors tu me montreras un pas de Claudette ? » ou encore « on ne dit pas "papillon", on dit "rhopalocère". Et bien sûr que les couleurs vives sont toxiques ».

Maintenant je le savais, on avait le choix. On n'était pas obligé d'être triste et chrétien tout le temps. Prêt à mourir en permanence, pour filer vérifier que Dieu n'a pas menti « son royaume n'est pas de ce monde », comme dit le cantique.

Après la place des Prêcheurs, avec Dario nous avions juste marché dans la ville. Il avait voulu me montrer des endroits qu'il aimait bien. Je m'étais sentie élue. Il aurait voulu me montrer tout ce qui le dégoûtait, ça aurait été pareil, j'étais de toute façon privilégiée.

Ce qui lui plaisait ne figurait sûrement dans aucun guide de la ville. La place Albertas et sa fontaine, le cours Mirabeau et ses cafés, le vieil Aix et les paysages de Cézanne, étaient juste des noms génériques, des endroits faits pour plaire au plus grand nombre et Dario était un être d'exception. Il aimait ce qui se regarde en cachette, la ville était un théâtre dont il soulevait à peine le rideau, mais dont il voyait tout. Quant à savoir ce qu'il en pensait... Il n'était pas un être de commentaires. Il n'avait pas d'avis sur tout, comme la plupart des adolescents, il n'était pas de ceux qui tiennent une banderole en scandant de mauvais jeux de mots, il n'avait ni idole ni maître à penser, toutes ces choses que l'on croit essentielles, qui nous transportent quand on a 15 ans et qu'on oublie sans même avoir eu le temps de les renier.

Par une fenêtre à hauteur de rue nous avons regardé un long moment, dans une petite cour, des karatékas travailler. Ils étaient massifs, poussaient de larges cris ramassés, et tombaient sur des tapis fins qui n'amortissaient pas leur chute. Parfois l'un d'eux levait son visage vers nous, venait serrer la main de Dario, et repartait tomber. Je n'ai jamais su si Dario pratiquait cette discipline, ni s'il avait déjà vu ces garçons avant, je sentais juste passer entre eux ce pacte étrange, cette entente qui lie les gens un peu taiseux et concentrés, tout entier ramassés sur leurs silences.

Puis nous avons monté un escalier étroit et sombre dans un vieil immeuble humide et nous sommes entrés chez une femme ancienne, maigre et tordue, qui a embrassé Dario de ses lèvres rentrées, puis nous a offert un biscuit avant de nous dire au revoir. Il n'y avait chez elle ni surprise ni véritable joie à nous voir. Sur le seuil Dario s'est baissé vers elle et lui a parlé tout bas, un italien mâtiné de provençal, ou un dialecte peut-être, la vieille semblait d'accord et hochait la tête en souriant, je n'aurais su dire si elle se retenait de rire ou se désolait, les expressions dans ce visage griffé de rides semblaient brouillées.

Le biscuit me dégoûtait. La vieille femme me dégoûtait. L'odeur de son appartement, cette pièce unique à la Zola, m'avait fait peur. J'ignorais tout du lien qui l'unissait à Dario et il ne m'a rien expliqué. Je ne savais pas alors à quel point il était attentif aux autres, dans sa nonchalance légère. Attentif, curieux, secrètement amusé, parfois meurtri.

Après la vieille, et sans plus d'explication, Dario a voulu aller chez le disquaire en haut du cours Mirabeau. Il a demandé les nocturnes de Chopin, le type a dit « dans la deux » et nous sommes allés nous asseoir dans la cabine. J'avais peur que Dario me demande si j'aimais Chopin, si je ne lui préférais pas Brahms ou Bach, j'avais peur qu'il me demande mon avis sur les nocturnes, je ne connaissais rien à la musique classique. Il n'a pas parlé. Nous étions assis dans cette cabine qui sentait le bois et le train électrique, autour de nous la ville était plongée dans le silence. Nous étions au cœur du son pur. Le piano me semblait parfois timide, au bord de l'explosion mais retenu, et puis soudain emporté tellement emballé, je n'étais pas tranquille, tout me surprenait et m'empêchait de m'installer dans une humeur, un sentiment. Dario avait renversé sa tête contre le mur capitonné, parfois il me souriait, je me demandais s'il aurait embrassé la fille dans la cabine, si ça n'avait pas été moi ? Je lui souriais en retour et je sentais ce qu'il y avait de regret déjà dans ce sourire, ce qu'il y avait d'éphémère dans ce moment que nous étions en train de vivre. Bientôt il faudrait sortir. Retrouver les voix qui disent n'importe quoi, les ordres stupides, les nouvelles banales et le peu d'attention que chacun se porte. Bientôt je serais dans l'appartement étriqué où chaque soir se répète, où ma place était aussi étroite qu'une chaise haute d'enfant, depuis 16 ans on me parlait pareillement, mes parents m'éduquaient sans m'élever, me débitaient des âneries qu'ils tenaient eux-mêmes de leurs parents et qu'ils espéraient bien me faire rentrer dans le crâne afin que je les enseigne plus tard à mes propres bébés attachés sur la chaise haute. Qui avait fait découvrir Chopin à Dario ? Comment c'était d'être lui et de rentrer chez lui, retrouver chaque soir peut-être cette mère émerveillée ? Elle n'avait pas eu peur de le gâter. Elle n'avait jamais pensé que la gentillesse le pourrirait comme un fruit âcre. Que la grande musique le ferait rêvasser, parce qu'elle ne disait jamais « rêvasser ». Elle disait « rêver ». Sûrement. Et elle ne demandait pas « Oh ? Mais tu rêves ou quoi ? » comme on parle aux enfants que l'on prend la main dans le sac.

L'après-midi était passé, je savais que le soir s'installait pendant que nous écoutions Chopin dans la cabine sans fenêtre, et ce soir sans nous rendait la ville plus étrangère encore, je ne comprenais pas ce que je vivais mais je savais que c'était une première fois. J'aurais pu dire « une première fois seule avec un garçon », « une première fois avec Chopin », « une première fois chez le disquaire ». Rien de cela n'aurait été juste. Il s'agissait de quelque chose de plus vaste que le moment. De plus troublant que le face-à-face avec un garçon. Je sentais le monde tout autour, si proches les autres clients, les voitures sur le cours Mirabeau, le téléphone du magasin, la porte, les pas, tout ce à quoi nous étions sourds. Je savais à quoi j'échappais. Où je me retranchais. Et un mot que je ne connaissais pas encore nous liait Dario et moi en nous éloignant des autres.

Plus tard, j'ai appris ce mot. « Intimité. » Presque « intimidé ». Presque la même douceur, la patience qu'il faut pour y parvenir. Et puis je l'ai perdu sans le savoir, une erreur d'étourderie...

J'ai trouvé après Lyon un petit hôtel dans une ville indifférente, qui hésitait entre l'autoroute et la campagne, n'avait aucun charme, une rue principale traversée par des camions sales, et en bordure, des lotissements dans lesquels les arbres n'avaient pas poussé et dont les troncs ressemblaient à de pauvres bâtons malmenés, puis finalement abandonnés. Il y avait une rue piétonne avec des boutiques sembla-bles à toutes les boutiques des autres rues piétonnes, des vêtements pas chers, des décos marocaines et indiennes mal finies, un Mac Do, une presse ; des groupes d'adolescents plus ou moins gothiques se baladaient en essayant de se faire remarquer par des passants qui s'en foutaient, un homme sans âge chantait à la guitare « Je l'aime à mourir », et sem-blait aussi indifférent aux paroles qu'à l'absence de monnaie dans la housse déchirée posée à ses pieds. Parfois, deux ou trois vieilles dames marchaient ensemble, maquillées, permanentées, étrangement chic dans cette ville qui se relâchait. Sûrement elles étaient nées ici. Elles avaient grandi et s'étaient mariées dans la ville. Elles étaient les veuves du notaire et du médecin, du pharmacien, du gérant de l'hôtel. Et maintenant que la ville n'avait plus ni tenue ni ambition, elles apparaissaient incongrues et déplacées, elles qui avaient représenté ce que la ville avait de meilleur. Avant on se flattait d'être invité à leur table, on se félicitait de les connaître, parfois même de les appeler par leur prénom et d'avoir le privilège de donner à leurs enfants des cours d'équitation ou de violon. Mais voilà, le temps avait passé. La ville était oubliée. On y venait par hasard, par erreur, et on en repartait étonné qu'elle existe encore après notre départ. Combien de lieux semblables entre Paris et Gênes ? Combien de villages trop calmes traversés par des déchets radioactifs et des lignes TGV, repliés sur eux-mêmes comme aux temps des occupations, combien de villes perdues que les enfants quittent sans jamais oser dire d'où ils viennent ?

Je me demandais ce que faisait Marc, maintenant qu'il ne m'attendait plus. Parlait-il longuement au téléphone avec les filles ? L'une d'elles était-elle venue le voir, pressée par les deux autres ? Zoé, notre fille aînée, a 23 ans et vit à Marseille avec un homme immature qui lui parle toujours comme si elle était en retard. Il souffle et soupire, lève négligemment les yeux aux ciel, puis sourit avec l'indulgence de celui qui supporte tout. Il est encombré de lui-même et reporte sur elle son irritation à vivre sa vie en souffrant par à-coups et sans se plaindre, comme un qui marche avec des chaussures trop petites. Et Zoé s'excuse avec des mimiques de gamine, elle mord ses lèvres, tortille ses cheveux, pousse des petits rires furtifs qui fusent comme des sanglots qu'on retient. Elle a abandonné ses études de psycho et vend des bijoux fantaisie dans une boutique rue Saint-Ferréol qui mettra sans doute bientôt la clef sous la porte, et alors elle fera des remplacements dans la boutique de tee-shirts parce qu'elle connaît la patronne avec qui elle prend parfois le café entre midi et deux, ou bien elle tiendra le standard d'un hôtel face au port et se fera draguer par des représentants de commerce que je haïrais à sa place. Elle est un trésor enfermé. Elle se cache, elle se retient, effrayée par sa propre puissance et sa violence aussi, la façon dont elle pourrait renverser le monde. Cet homme avec qui elle vit, il est son garde-fou, pense-t-elle, celui qui la calme. Celui qui la tue. Zoé est une bruyante qui se tait. Une possédée qui se couche. Un jour elle fera ce que font tous ceux qui ont dit « oui », elle partira loin et tout sera oublié instantanément, la boutique de bijoux fantaisie, la collègue des tee-shirts, le visage de l'homme avec qui elle vivait, l'odeur de Marseille, la couleur du soleil sur la mer et le cafard qu'il y a le soir à se promener sur le vieux port en se disant qu'on n'est jamais parti.

Je me souviens de Zoé petite. Des yeux immenses. Des petites dents pointues sur des rires en permanence, des fantaisies, des inventions, des chansons, un monde en ébullition, « Une boule de mercure » disait d'elle la directrice de la crèche. Quand et pourquoi a-t-elle cessé de l'être ?

Pauline est née un an après Zoé. Elle étudie la peinture avec le remords de celle qui se sait pas douée mais ne se l'avoue pas. Et elle continue les Beaux-Arts pour la fierté d'avoir été reçue au concours d'entrée. Elle ne dit jamais « je peins » mais « j'ai été reçue aux Beaux-Arts ». Elle partage un minuscule deux pièces avec une amie qui travaille dans une agence immobilière et lui donne son statut d'artiste, elle fait d'elle des croquis, des ébauches de portraits, et cette colocataire lui demande si elle se souviendra d'elle quand elle sera célèbre. Je voudrais lui dire qu'elle possède d'autres dons, ça n'est pas grave de s'être trompée, je voudrais la prévenir avant qu'il ne soit trop tard et qu'elle soit devenue la seule de sa promo à ne « pas en vivre » comme on dit, parce que « ne pas en vivre » signifiera pour elle « en mourir ». Je voudrais parler à mes filles, Zoé et Pauline, et à Jeanne aussi, qui vit à Londres. Je voudrais les tenir dans mes bras et qu'elles comprennent que j'ai le savoir d'elles-mêmes et que les hommes qui les aiment mal sont des passants à éviter. Je voudrais leur dire qu'elles ont droit au meilleur, elles méritent ce qui coupe le souffle, ce qui est une folie. Je voudrais qu'elles sachent qu'elles sont la plus belle part des dieux, la promesse des hommes, et qu'elles croient les mots des mères qui élisent leurs enfants comme d'exceptionnels prodiges. Je voudrais leur parler de Dario la première fois que je suis allée chez lui, à Aix-en-Provence, dans cette campagne qui respirait encore, ne s'effondrait pas sous les coups de pioche, les tonnes de béton, cette campagne qui se protégeait derrière de grands pins parasols dont les épines à terre attendaient le feu. Mais peut-être me demanderaient-elles alors pourquoi je n'ai pas suivi cet homme, ou pourquoi il ne m'a pas emmenée.

— Zoé, c'est maman.

Silence…

— Zoé tu m'entends ? C'est maman.

— Ben oui je t'entends, tu es où ?

— Près de Lyon. Je vais en Italie…

— Je sais.

— Marc t'a dit. Je vais voir une amie.

— Oui.

— Je ne pense pas qu'il me croit.

— Maman, ce qui compte c'est pas de te croire ou pas, on voudrait juste savoir ce qui se passe, c'était vos 25 ans de mariage ! Merde, tu penses que papa méritait ça ? 25 ans !

— 25 ans, pas 25 ans, j'ai dû partir, c'est tout.

— Tu quittes papa ?

— Bien sûr que non, quelle idée !

Je l'ai entendue pleurer, et puis elle a raccroché. Je lui avais fait de la peine. Je faisais de la peine à tout le monde, c'est incroyable comme on se sent seule si souvent, chaque jour pour être tout à fait honnête, et comme la moindre de nos décisions pèse sur les autres. Où étaient-ils quand on se sentait si inutile, totalement vide, quand tout semblait tellement superficiel, une longue suite d'obligations qui nous tenaient debout du matin au soir… ? J'ai rappelé.

— Zoé écoute ne raccroche pas comme ça… je suis désolée… je ne pensais pas que mon voyage en Italie provoquerait un drame !

— Ne fais pas l'hypocrite, tu savais très bien ce que tu faisais en plantant papa le soir de votre anniversaire, avec tout bien préparé dans la maison hein, c'est pas bizarre comme histoire ? Tu imagines qu'il t'ait fait ce coup-là ? Hein ? Tu imagines qu'il t'ait fait ça à toi ?

— OK. Je te laisse, je suis fatiguée…

Et j'ai raccroché à mon tour. Un coup de fil pour rien, juste pour se faire de la peine, embrouiller un peu plus les choses. Cette façon qu'avaient mes filles de défendre leur père… Cette autorisation qu'elles se donnaient de se mêler de notre vie comme si elles en étaient depuis toujours les arbitres, comme si nous avions attendu leur naissance pour faire les camps et décider des règles. Cet amour fou que l'on a pour ses enfants et puis soudain ce besoin viscéral d'être détaché d'eux, avec la peur que cela se voit on attend que ça passe, car ça passe toujours on le sait et ce qui reprend le dessus c'est l'irrationnel attachement, la part animale.

Mon portable m'a manqué. J'aurais voulu envoyer quelques mots à Zoé, nous avions depuis toujours pour principe de ne pas nous quitter fâchées, mais souvent l'orgueil et la peine se mêlaient de telle façon qu'il fallait une volonté presque douloureuse pour parvenir à une réconciliation, même timide ou lointaine.

Je suis sortie pour que ma colère s'apaise, j'ai regardé les vitrines de la rue piétonne qui bradaient des jupes à volants et des sacs en skaï marron. Je pensais à cet homme qui aimait mal Zoé, qui ne la consolerait pas de sa peine et lui dirait que sa mère était une femme irresponsable, croyant apporter de l'eau à son moulin il ne ferait que la dégoûter de lui, car ce que Zoé attendait des autres lorsque nous nous disputions, c'était qu'ils écoutent jusqu'au bout ses reproches puis lui affirment que je l'aimais plus que tout et que la brouille ne durerait pas.

J'avais trouvé le numéro de Zoé grâce à l'ordinateur de l'hôtel. J'aurais pu relever mes mails. Je ne l'ai pas fait. J'aurais pu écrire à Marc. A Pauline. A Jeanne. J'aurais pu rentrer chez moi. J'aurais pu demander à Marc de me rejoindre. J'aurais pu faire tant de choses qui m'auraient déviée de mon voyage égoïste et essentiel.

Je me suis assise en terrasse, dans la rue piétonne. Le chanteur hurlait littéralement maintenant « Je l'aime à mouriiiir », et j'ai pensé « ben vas-y ! ». Je me sentais méchante, je trouvais que cette ville n'était pas à la hauteur de mon voyage. J'ai regardé les gens passer. La plupart semblaient s'être préparés comme si un caricaturiste devait venir en ville et élire le héros de sa prochaine bande dessinée. Certains étaient très longs un peu penchés avec des nez démesurés, ils s'inclinaient comme des peupliers sous le vent, d'autres semblaient ramassés sur eux-mêmes prêts à s'accroupir, bossus, honteux, de vieux fœtus qui ne s'étaient jamais dépliés tout à fait, d'autres au contraire mettaient fièrement en avant leurs formes rondes, des seins, des ventres qu'ils poussaient devant eux comme des trophées, ceux-là parlaient fort car la rue était à eux, ils étaient les marquis de Carabas de ces terres désolées.

— Parce que tu penses que je vais te croire ?
— Oui.

Je me suis légèrement retournée. Un couple était assis derrière moi. Deux hommes d'une quarantaine d'années qui parlaient aussi bas qu'ils le pouvaient, avec une émotion tendue.

— Je n'en peux plus. Non… Non vraiment… Oh je n'en peux plus…

La voix de l'homme était douce, mais il parlait difficilement, comme un qui a soif. L'autre a demandé :

— Alors qu'est-ce qu'on fait ?

— Je ne sais pas…

Il y a eu un long silence. Le chanteur de rue se disputait maintenant avec un jongleur qui voulait le faire dégager, d'après ce que je pouvais comprendre. « De toute façon tu gagnes rien ! », il disait.

— Je ne peux plus vivre comme ça.

La voix des deux hommes derrière moi semblait sortir de l'eau, émerger d'un rêve lointain.

— Pourquoi tu ne me crois pas ? Ce serait plus simple si tu me croyais.

— Oui ce serait plus simple si je te croyais.

Un couple de jeunes parents s'est assis à côté de moi, avec une poussette qui passait mal entre les tables et qu'ils cognaient un peu partout avec indifférence. Dans la poussette leur enfant dormait, le visage poisseux, comme s'il avait mangé de la barbe à papa, ou s'était écrasé une sucette sur les joues.

— Réveille-le, a dit le père.

— Non, je veux boire ma bière tranquille.

Le père a soupiré. Puis il a commandé deux bières pressions au serveur qui était un copain à lui et ils ont commencé à parler tous les deux, comme si la femme n'était pas là, comme si elle dormait elle aussi, pareille à l'enfant.

— Tu finis à quelle heure ? a demandé le père.

— Vingt heures.

— Génial, on se retrouve au Blue Bar, alors ?

— Y aura Tristan.

— Oh ?

— Ouais.

— Y aura Tristan ?

— Ouais.

— C'est d'enfer.

Derrière moi un des deux hommes se retenait de pleurer. Il répétait tout bas « mais je n'y arrive pas, je n'arrive pas à te croire », et l'autre soupirait doucement. Il l'avait trompé, sûrement... Il l'avait trahi, lui avait préféré un autre, une heure, une nuit...

— Je suis là et je reste là !

Le chanteur de rue était tout rouge maintenant, il s'échauffait drôlement, le jongleur s'est planté face à lui et a commencé à jongler. L'autre lui est rentré dedans, les balles ont rebondi sur le bitume.

— Tant pis pour toi si tu le réveilles pas hein, il fera pas sa nuit et puis c'est tout, disait le père maintenant que son collègue le serveur était parti.

— Ça peut te foutre ? Tu seras au Blue Bar toute la nuit à picoler avec ce salaud de Tristan.

— Touche pas à Tristan ! Fais gaffe touche pas aux copains ! Les copains c'est sacré ! Fais gaffe !

La femme a haussé les épaules et elle a bu sa bière en regardant le bébé dans la poussette. On aurait dit qu'elle le voyait pour la première fois et ne le reconnaissait pas, tant elle semblait étonnée de sa présence.

— Je t'aime, a dit derrière moi l'homme qui avait trahi.

Et aussi :

— Non, ne pleure pas ici.

Ils étaient trois maintenant à se disputer leur bout de trottoir, avec le jongleur et le chanteur il y avait un jeune gars qui tenait en laisse deux bergers allemands au bout d'une corde usée. Ses cheveux iroquois étaient verts, ses oreilles percées de plusieurs boucles, j'ai regardé ces trois garçons et je me suis demandé où étaient leurs mères. Est-ce qu'elles savaient que leurs fils étaient à la rue ? Est-ce qu'elles étaient à la rue elles aussi ? Est-ce qu'elles vivaient encore ?

— La rue est à tout le monde ! disait le type aux chiens aux deux autres.

Personne ne semblait les voir ni les entendre.

— On va partir. A Paris, a dit l'homme derrière moi.

— Recommence pas.

— On va pas se cacher tout le temps ? On va pas continuer à vivre comme ça ?

— A Paris ce sera pire. Tu me tromperas encore. Plus souvent. Plus ouvertement.

— On va partir à Paris.

— D'accord.

— Qu'est-ce que tu as dit ?

— J'ai dit d'accord.

— Embrasse-moi.

— Quoi ?

— Embrasse-moi devant tout le monde, puis-qu'on part on s'en fout.

Je ne les ai pas regardés. J'étais heureuse, je ne savais pas vraiment pourquoi. J'étais terriblement heureuse.

— Je te jure Christine, il ne parlait pas.

— Pas du tout ?

— Pas un mot. Rien.

— Comment il disait « j'ai faim », alors ?

— Il faisait signe comme ça, tu vois, il tournait la main sur son ventre, et alors sa maman comprenait qu'il avait faim.

— Il disait merci ?

— Christine ! Il ne parlait pas, Mike Brant, il était mu-et !

— Alors comment il a fait pour chanter ?

— Il s'est appliqué ! Comme toi tu devrais t'appliquer pour apprendre à lire, parce que si tu apprends à lire tu pourras vivre comme les autres, vraiment comme les autres.

— Je lirai des livres ?

— Oui.

— Je lirai des lettres ?

— Mais oui !

— J'aurai un mari ?

— ... Pourquoi pas ? Oui...

C'est là que ma mère est entrée pour me foutre une claque. Christine a pleuré à ma place et pour la consoler ma mère lui a expliqué que si elle avait un jour un mari elle donnerait naissance à des monstres, aussi il ne fallait jamais qu'elle s'approche d'un garçon. Christine est restée avec cette peur des monstres dans son ventre, et toutes mes tentatives pour lui apprendre à lire ont échoué. Parfois maman regardait Christine et soufflait à ses amies : « C'est mon bâton de vieillesse », car il était facile de l'empêcher de dépasser les huit ans d'âge, il suffisait de lui boucher la vue pour qu'elle ne grandisse pas, il était facile qu'elle reste une accompagnatrice naïve.

Cette claque a été la dernière. J'avais 15 ans et je savais que la prochaine fois je la rendrai. Ma mère devait le savoir aussi, elle n'a jamais recommencé. Elle et moi on ne se touchait pas, on se regardait. Elle m'avait à l'œil, comme elle disait, moi je trouvais plutôt qu'elle m'avait dans le nez, et je savais pourquoi. Je lui avais fait peur. Neuf longs mois durant. Après Christine, elle s'était juré de ne plus avoir d'enfants. Après Christine elle avait peur de tout et surtout d'elle-même, de la force de son dégoût qu'elle tentait à force de prières et de confessions, de transformer en amour maternel. Mais rien à faire, les monstres, c'était bien dans son ventre qu'ils se cachaient.

A force d'entendre les disputes chuchotées de mes parents derrière la cloison trop fine qui séparait nos chambres, j'ai reconstitué leur magnifique histoire d'amour. Mon grand-père maternel sur son lit de mort avait pris la dernière initiative de sa vie : il avait fait jurer à mon père qu'il épouserait « sa petite Anne-Marie », ainsi il pourrait partir en paix et elle pourrait oublier ses lubies. Anne-Marie, ma mère, avait douze ans de moins que Bertrand, mon père, et aimait un garçon de son âge, qui l'aimait en retour mais était protestant. Mieux eût fallu pour lui être communiste, il aurait eu l'excuse d'avoir été enrôlé, mais protestant était une religion qui se transmettait et ne s'effaçait pas si facilement. La conversion avait été proposée au jeune homme qui l'avait acceptée aussitôt, et c'est alors que ses parents l'avaient fichu à la porte après l'avoir déshérité. Juste avant que mon grand-père ne meure et qu'Anne-Marie n'atteigne sa majorité, Bertrand avait juré la main sur le cœur et l'œil mouillé que oui, il épouserait la petite et ce dans la meilleure tradition catholique.

Ce qui fut fait.

Neuf mois après naissait Christine, et souvent j'entendais mon père souffler rageusement à ma mère lorsque leur détestation était trop forte et qu'ils évoquaient cette enfant : « N'oublie pas la fenêtre », ce qui la faisait taire sur-le-champ, je n'ai jamais compris pourquoi.

Je suis née trois ans après Christine, trois longues années durant lesquelles la famille a considéré ma mère comme une bien mauvaise chrétienne et mon père comme un saint qui devait « se la mettre sous le bras » comme disait son frère en allumant son cigare.

J'ai détesté ma mère jusqu'au jour où j'ai donné naissance à mon premier enfant. L'accouchement a duré douze heures, a donné lieu à tant de souffrances qui me tiraient hors de moi, me menaient au bord de l'évanouissement, me donnaient envie de mourir pour que cela cesse, que j'ai pensé à elle soudain, à toutes ces femmes qui contrairement à moi, n'avaient pas désiré un enfant, pas désiré le père de l'enfant, où trouvaient-elles la force d'accoucher ?

J'ai pensé à ma mère à 20 ans, debout dans la chambre aux rideaux tirés, son père agonisant et le grand Bertrand, ce vieux de 32 ans qui n'avait jamais attiré personne et qui allait bientôt avoir droit à elle, regardant en contre-jour sa silhouette immaculée. Ce jour-là la vie de ma mère s'est arrêtée, et la mienne était en marche. J'ai poussé sur son malheur.

Après la naissance de Christine maman s'est ruée sur la religion comme on met son bras devant son visage pour ne plus rien voir et se protéger. Elle avançait en aveugle sur « un chemin plein de lumière », comme disent les textes.

Mon père s'est résigné à être celui qu'aucune femme jamais n'avait aimé. Il vendait des Encyclopédies Universalis en porte-à-porte, et collectionnait les papillons. Il participait au concours de la plus belle crèche à Noël, du balcon fleuri au printemps, et ne gagnait jamais. Il aidait toujours les vieux à traverser la rue et prenait la parole dans les réunions de colocataires, on pouvait aussi compter sur lui pour les quêtes de la Croix-Rouge.

Le soir venu je suis allée dîner dans une brasse-
rie près de la gare. Depuis que j'avais entendu le
couple d'homosexuels souffrir puis se réconcilier, et
maintenant que je les devinais en train d'organiser
leur départ, je savais qu'il y avait plus d'histoires
dans cette ville que je ne pourrais jamais en imaginer. Des amours clandestines, des rencontres
fatales, des faits divers prêts à exploser dans de
minuscules cuisines éclairées au néon, des garages
bien rangés, partout dans la ville des hommes prêts
à mourir pour un rien, une bronchite, un désespoir
subit, un coup de folie, le monde se renverse, on
entend des voix, on ne se reconnaît plus... Une
femme va pour déboucher une bouteille de vin...

De retour dans ma chambre, j'appelai de nouveau
Zoé.
Elle a décroché tout de suite, j'entendais la télévi-
sion en arrière-plan.
— Zoé, je suis désolée si je t'ai fait de la peine.
— Non c'est moi, après tout cette histoire ne me
regarde pas.

Elle a poussé un gros soupir, la musique de la télé était lancée plein pot, et bientôt ç'a été des cris d'horreur, de longs hurlements de femmes qui n'en finissaient pas.

— Tu ne pourrais pas t'isoler, on pourrait parler plus tranquillement ?

— L'appartement est tout petit.

— Ah…

— Je crois que je vais arrêter de vendre des bijoux.

— Bien sûr.

— On me propose autre chose.

— Des tee-shirts ?

— Pardon ?

— Non, je dis : tu vas vendre des tee-shirts ?

Il y a eu un drôle de silence, et puis elle a demandé :

— Tu es où déjà ?

— Près de Lyon.

— Tu as peur ?

— Qu'est-ce que tu dis ?

— Rien.

— Tu me demandes si j'ai peur ? Mais de quoi ? De quoi est-ce que j'aurais peur ?

— De ce que tu vas faire.

La télévision a recommencé à envoyer des cris de femmes, agrémentés de coups de feu cette fois-ci.

— Désolée, a repris Zoé, je ne peux pas m'isoler.

— Je vais voir une amie à Gênes.

— Qu'est-ce qu'elle a cette amie ?

101

— Elle est malade, je crois.

— Elle va mourir ?

— Je ne sais pas.

— Pourquoi tu traînes ? Pourquoi tu t'arrêtes comme ça sur la route, il y a un aéroport non, à Gênes ? Tu aurais pu prendre un avion.

— Un avion ?

— Ou un train.

— Tu sais… je n'y ai pas pensé.

— C'est bizarre.

— J'ai envie de m'arrêter voir Christine.

— Christine ta sœur ?

— Oui. Dans cette maison tu sais, à côté de Venelles.

— C'est pour ça que tu as pris la voiture ? Tu veux parler à Christine, elle connaît cette amie aussi ?

— Oui… Elle connaît cette amie aussi, tu sais c'était une amie… j'avais 16 ans tu te rends compte ? Cette amie…

— Comment elle s'appelle ?

— Hein ? Elle s'appelle… Elle s'appelle… Cristina.

— Ah c'est marrant…

— Quoi ?

— Christine. Cristina. Sérieusement tu penses que je vais te croire ? Tu crois que je te connais pas, maman ?

— J'avais 16 ans c'était à Aix, il y avait cette fille qui venait de Gênes, et quand je l'ai rencontrée c'est comme si je sortais de prison, que j'avais purgé une peine et je me souvenais plus de rien, plus du chaud, du froid, de la peau, des envies, plus rien.

— Je comprends.

La télé s'est éteinte subitement. C'est devenu encore plus difficile de se parler maintenant que son ami pouvait tout à fait nous entendre.

— Tu penses y être quand à Venelles ?

— Demain.

— Va falloir que je te laisse.

— Zoé ?

— Hum ?

— J'ai vu des gens aujourd'hui… deux amoureux incroyables.

— Pourquoi incroyables ?

— Ils étaient très tristes et très heureux en même temps, tu vois ce que je veux dire ?

Il y a eu un silence et puis elle a dit très bas :

— Dors bien, maman.

— Je t'embrasse mon poussin.


J'ai préféré ne pas imaginer ma fille dans cet appartement minuscule de Marseille avec cet homme qui ne remarquerait pas qu'elle avait du chagrin, qui se lavait les dents bruyamment et recrachait devant elle, parce qu'il confondait la grossièreté avec l'intimité, confondait ma fille avec n'importe quelle autre croisée dans un magasin, une terrasse de café. J'aurais voulu aller la chercher, comme à la sortie de l'école, lui dire : « On rentre à la maison » et aussi :

« C'est fini tu ne retourneras plus jamais dans cette école. » Et lui faire des grimaces, des chatouilles, pour entendre son rire fuser entre ses petites dents pointues.

Mais elle avait vingt-trois ans.

Vingt-trois ans…

J'ai attrapé ma veste et je suis sortie.

La ville, plongée dans le noir total, avait les dimensions d'un placard, et soudain prise dans cette obscurité lourde, j'ai marché en me repérant aux phares des voitures qui passaient de temps à autre éclairant subitement la rue. J'ai marché longtemps, regrettant d'être sortie, maugréant à l'idée de devoir rentrer à l'hôtel, comme cette nuit de plomb semblait m'y forcer, puis j'ai fini par apercevoir une enseigne lumineuse et colorée, l'ultime tentation citadine… C'était le Blue Bar, évidemment. Une grande salle blanche, pauvre dans ces lumières franches, un plancher en bois brut, un long comptoir, une musique qui grésillait de vieux reggaes remixés, on sentait des tentations d'Amérique désolée et des revendications provinciales avouées, les clients étaient de tous âges et semblaient se tolérer dans une proximité aux frontières un peu floues.

Je me suis assise un peu en retrait, sur une banquette dans le fond, j'ai commandé un double whisky et je me sentais réconfortée dans ce lieu hors du temps, sans cohérence ni beauté. Je repensais à Zoé, à tout ce que je sentais de détresse et de retenue dans ses paroles, bon Dieu ! Pourquoi faut-il qu'un jour nous n'ayons plus sur nos enfants le pouvoir de la consolation ni celui du rêve ? Pourquoi leur apprend-on à se méfier des étrangers et pas des fiancés ? Ceux-là sont bien plus dangereux, qui n'ont pas besoin de les forcer à monter dans leur voiture pour les ravir au monde de leur mère. Pourquoi apprend-on à nos filles tant de gentillesse ? Pourquoi leur avais-je dit que c'était mal de faire de la peine aux autres, au lieu de leur dire de fuir au plus vite tous ceux qui brandissaient leur douleur comme un étendard avec lequel ils les étrangleraient tôt ou tard ?

Le père de famille aperçu en terrasse cette après-midi parlait avec des garçons de son âge, 25 ans à peu près, aux allures factices d'hommes blindés, bourrés de certitudes et d'habitudes viriles, motos, jeux, alcool, qui leur faisaient oublier qu'ils craignaient encore leurs pères et faisaient toujours des concours de celui qui pisserait le plus loin, derrière le mur du Blue Bar, lorsque la nuit tombe. Tristan devait être ce petit trapu que tous écoutaient avec respect en souriant du bonheur d'être admis dans le cercle de ses copains. Le père de famille avait le privilège de lui donner de temps à autre des claques dans le dos, en se balançant d'un pied sur l'autre, un peu incertain, angoissé que cette place privilégiée lui soit ôtée il guettait l'approbation dans le regard des autres, qui se détourneraient de lui au premier signal, ainsi qu'il le savait.

— Les gars ! Les gars ! gueulait Tristan, je vous promets de vous y emmener un jour ! OK ?

Tous ont approuvé avec des rires heureux, et Tristan a fait signe au serveur, il offrait une tournée.

— Faudra tenir ta promesse un jour Tristan, a dit un garçon un peu maigre avec un sourire qui s'excusait.

Les autres ne semblaient pas trouver la remarque désobligeante, mais Tristan a fait répéter sa phrase au môme, d'un ton menaçant :

— Qu'est-ce tu dis, Robert ?

— Ben... Tu dis souvent ça, que... que tu vas nous y emmener... et puis...

— Dégage ! a simplement sifflé Tristan, et Robert a levé vers lui des yeux qui ne comprenaient pas.

Alors les autres, qui étaient plus malins que lui, l'ont lentement pris par les épaules et l'ont poussé hors du cercle, sans violence, presque du bout des doigts. Robert a cru à une blague, une sorte de petit jeu hésitant auquel il pensait participer en riant, mais son rire s'est arrêté lorsque les autres ont reformé le cercle, sans lui. Alors il s'est assis à peine plus loin, sans cesser de les regarder, recroquevillé sur sa chaise il les écoutait sans en perdre une miette, pétri d'une admiration muette.

Un homme, assis un peu plus loin sur ma banquette, regardait la scène :

— Je les ai tous connus hauts comme ça, il a fait en mettant sa main ouverte à hauteur de la table.

— Je sais ce que c'est, voir des mômes grandir, j'ai dit, je suis institutrice en maternelle depuis… oh ! Si longtemps !

— On ne dit pas « professeur des écoles » ?

J'ai souri avec indulgence.

— Je vous offre à boire, il a proposé.

— Je vais reprendre un whisky…

Il a fait signe au serveur.

— Ces mômes, je les ai tous entraînés au foot. Je les connais eux, et leurs grands frères, et leurs pères, leurs mères, et les cousins avec !

Il riait de cette situation, et semblait en tirer beaucoup de fierté.

Il était un peu plus jeune que moi, une petite quarantaine. Il n'avait pas l'air très sportif, bien qu'il ait été habillé en survêtement et porte des baskets, ce qui lui donnait plus l'allure d'un prisonnier oublié que d'un athlète.

— Le petit, j'ai dit, celui qui s'appelle « Robert », c'est ça ? Ils ne l'aiment pas beaucoup, non ?

— Personne n'aime Robert. Vous enseignez dans quelle ville, je ne vous ai jamais vue ici.

— Paris.

— Et on dit toujours « institutrice » à Paris ?

— Non, non, on dit « professeur des écoles »…

On nous avait apporté nos verres, nous les avons levés en inclinant la tête, avant de boire en silence. C'est alors que je l'ai vu. Le type de l'autoroute. Il était assis en face de moi et me regardait. Il ne bougeait pas, ne faisait surgir aucune cigarette ni disparaître aucune pièce de monnaie, il était assis là, paisible dans son corps rond, sa respiration rauque ; je ne le quittais pas des yeux. C'était lui. Aussi incroyable que cela puisse paraître, c'était lui !

— Robert appartenait à la plus ancienne famille de la ville.

— Vraiment ?

Le prestidigitateur transpirait, comme l'autre soir sur l'autoroute.

— Ils sont tous morts.

— Pardon ?

— Toute la famille de Robert, comme ça… tous morts. Sauf lui, bien sûr. Les parents, les grands-parents et la petite sœur, tous.

Je regardais alors le môme, toujours assis sur sa chaise, béat et soumis, et tous ces faux voyous qui lui tournaient le dos.

— Un accident ?

— Oui. Le soir du 31 décembre, c'est horrible non ? Un camion qui les avait pas vus…

— Et Robert ? Il n'était pas dans la voiture ?

— Robert il était en classe de neige…

— Une chance…

— Si on veut.

Je suis revenue vers le prestidigitateur, il me souriait maintenant. Mon cœur s'est emballé, il faisait terriblement chaud.

— Vous voyez ce type en face de moi ? j'ai demandé au sportif.

— C'est Charlot. La vedette de la ville.

— Pourquoi la vedette ?

— Oups ! Il va y avoir du grabuge… a murmuré le type.

Tristan semblait s'être embrouillé encore, mais cette fois-ci avec un garçon qui lui tenait tête en le traitant de voleur. Il s'est avancé pour le frapper, le père de famille s'est interposé et bien sûr c'est lui qui a reçu le coup de poing et s'est effondré sur le comptoir en hurlant qu'on lui avait pété le nez. Robert s'était levé de sa chaise et tentait de séparer ceux qui se provoquaient d'un coup d'épaule ou d'une injure, il allait de l'un à l'autre en les suppliant « Allez les gars, il disait, c'est trop bête les gars, faites pas ça ! ». Il avait des sanglots dans la voix, une vraie panique s'était emparée de lui. Le prof de foot s'est levé en soupirant et est allé à eux. Il en a pris un au collet, a tordu le bras à un autre en leur gueulant d'arrêter leurs conneries bordel ! Robert tordait ses mains maigres qui semblaient si vieilles, il était le seul à appréhender la suite, car la dispute avait quelque chose de convenu, comme une pièce que l'on répète sans entrain, avec des déplacements un peu mous, une diction hésitante. Tous ont reculé pour se laisser un peu d'espace, se détacher les uns des autres, ils avaient les mâchoires tendues, les poings enfoncés dans les poches, le dos courbé, le prof les tenait maintenant sous son regard avec une autorité naturelle dont il jouissait à l'évidence, ses yeux brillaient de plaisir, il était le héros de la soirée, la star qui arrive en deuxième partie, il a laissé passer un temps histoire de vérifier que les fureurs étaient éteintes pour de bon. Il y a eu comme une détente, le père de famille tenait un mouchoir plaqué contre son nez, sa chemise était pleine de sang, Tristan haussait les épaules par petits tics réguliers. « Je veux plus de ça, compris ? » a demandé le prof, puis il a fait signe au garçon de servir tout le monde. C'est alors que Robert a ri, il semblait délivré d'un poids.

— Qu'est-ce qu'il y a Robert ? a demandé le prof d'une voix beaucoup trop calme.

L'autre a penché un peu la tête de côté.

— Rien…

— Tu portes la poisse Robert, a dit le prof d'une voix étale, tu le sais ça ?

Le gosse a baissé la tête et puis il a fait « oui oui oui » plusieurs fois, un acte de contrition muet « c'est ma faute c'est ma faute c'est ma très grande faute », et puis il est sorti sur la pointe des pieds. Les autres ont levé leur verre, ils faisaient la paix.

En face de moi le prestidigitateur a écarté les bras, les mains grandes ouvertes, et sans cesser de me regarder, lentement il a ouvert la paume de sa main, en a tiré une cigarette, et j'ai retrouvé son sourire matois, presque mauvais. Son regard noir était fixe, d'une dureté sans appel.

Je suis sortie.
J'avais trop bu et j'ai vomi derrière le Blue Bar.

111

Quelqu'un pleurait par petits gémissements, appuyé contre le mur. J'ai reconnu Robert et j'ai eu peur, je suis partie sans le consoler.

Je ne saurai jamais où Tristan avait promis de l'emmener. Je ne saurai jamais ce qui le faisait tellement rêver. Ni s'il portait vraiment malheur.

Un jour Dario m'a emmenée chez lui. Ses parents habitaient une villa cachée dans la colline, un logement de fonction pour son père Alberto qui travaillait dans l'import-export et partageait son temps entre Gênes et Marseille, ville que Estelle sa femme, ne voulait pas habiter. Elle était française, ce qui expliquait que Dario soit bilingue et parle le français presque sans accent.

La première chose que j'ai vue d'Estelle, ce sont ses pieds. Elle marchait pieds nus dans la maison, et ses orteils étaient toujours peints. Les pieds pour moi étaient juste une odeur désagréable dans les vestiaires, et des chaussures bon marché que maman nous achetait à Christine et à moi chez André en haut du cours Mirabeau, à l'époque où c'était encore une enseigne pas chère. Mais Estelle avait des pieds qui faisaient partie de sa féminité, elle marchait souple, pleine de grâce, je pensais « Sainte Marie pleine de grâce le Seigneur est avec vous », je pensais cela malgré moi quand je la voyais, instantanément, comme une chanson qui vous vient en tête.

Je me demande quel âge elle avait alors… 38 ans peut-être… A peine 40… Impossible pourtant qu'elle ait eu plus un jour. Impossible qu'un jour elle n'ait plus pu se pencher pour vernir ses orteils, ni même qu'elle ait eu honte de montrer ses pieds usés à une pédicure… Estelle vieille. C'est un anachronisme. Je me souviens comme nous parlions de « l'an 2000 » lorsque j'étais enfant, avec les copines de l'école. On calculait : « En l'an 2000 j'aurai… j'aurai… » J'avais trouvé la première : moi j'aurai 40 ans ! Ça nous avait fait rire, parce que l'an 2000, les extraterrestres, les soucoupes volantes et les mutants : d'accord… Mais 40 ans ! J'essayais de me plaquer sur la tête la coiffure de ma mère, le visage de la maîtresse, le manteau de la voisine… 40 ans ! Ça n'était pas possible, sûrement on n'arriverait jamais à l'an 2000, d'ailleurs les extraterrestres n'existent pas.

Ce jour-là Estelle m'avait accueillie avec un sourire amical, puis elle avait regardé Dario comme si elle le retrouvait après plusieurs jours d'absence et qu'il lui avait terriblement manqué, et après l'avoir embrassé lui avait demandé : « Quelle odeur tu veux mon chéri ? Oh tu as l'air un peu fatigué, non ? Tu es sûr ? Mais Dario regarde ! Tu as encore mis ce blue-jean taché, oh que tu es dans la lune, bon alors des odeurs de crêpes, non ? Avec ! Avec une odeur de chocolat ! Oh oui ça va être parfait ! Une odeur de chocolat fondu ! » Et tandis qu'elle se mettait aux

fourneaux, nous passions dans la chambre de
Dario...

Je ne connaissais pas les chambres de garçons.
J'avais bien vu chez des cousins des posters de
motos, des fanions, des bandes dessinées de Tintin,
cela sentait le renfermé et semblait ne contenir
aucun secret, peut-être une revue interdite sous le
matelas, et encore.

La maison de Dario était grande et claire, les
baies vitrées donnaient sur un jardin dont à l'évidence personne ne s'occupait et tout semblait y
être posé par hasard, les chaises longues, les tables,
les raquettes de tennis, on ne devait jamais se soucier de la pluie ou du soir, jamais se précipiter
dehors pour mettre quoi que ce soit à l'abri. La
maison sentait le feu de cheminée, même quand il
n'y en avait pas. Il y avait cette odeur de bois et
de résine en permanence. Il y avait des valises
dans le couloir, un manteau sur le canapé, un
trousseau de clefs sur la table de la cuisine, et pour
moi ces signes de départ permanent étaient plus
que du désordre, c'était la confusion la plus totale.
A la maison, tout était à sa place et Christine et
moi ne dépassions jamais le territoire autorisé.
Même notre chambre commune était également
partagée, Christine avait son « coin » j'avais le
mien, même bureau même chaise même lit pour
chacune, j'avais l'impression que cela durerait toute
ma vie, j'aurais toujours tout en double avec la
culpabilité que pourtant ma part était la meilleure

malgré les apparences d'égalité, j'avais tout pris et même la place de ma grande sœur, qui ne serait jamais l'aînée de nous deux.

La chambre de Dario était toute petite, les murs nus, le bureau rangé, la fenêtre haute. Cette chambre minuscule aux allures monastiques m'avait étonnée, j'imaginais Dario comme le prince de ces lieux, avec une chambre mystérieuse un peu bohème, mais après y avoir littéralement balancé son cartable, Dario m'a dit qu'il allait me montrer la salle de jeux. La salle de jeux ! Comme on dit « salle de bains » lui avait une salle de jeux ! C'était comme quand on jouait aux figurines Shell avec Christine, quand j'avais 10 ans. On gagnait une figurine Disney en gomme à chaque plein d'essence et nous avions toute une collection multicolore des héros des dessins animés, qui bien sûr n'étaient jamais eux-mêmes, je les transformais en personnages fantasques, méchants, dangereux et magiques et je disais à Christine : nous allons partir dans la salle des déguisements ! Tous les déguisements possibles de toutes les princesses avec… ! les carrosses et les chevaux, oui ma chère ! Après nous irons dans la salle des machines avec le *Titanic* refait à neuf et des cabines de luxe oui ma chère et après si vous êtes courageuse je vous emmènerai dans la salle des miracles, non n'ayez pas peur et ne le dites surtout pas à votre mère elle n'y comprendrait rien car ces miracles ma chère, ne se passent pas à Lourdes !

La salle de jeux de Dario était immense. A mon avis on avait abattu les murs de plusieurs pièces pour n'en faire qu'une, on n'aurait pas dit qu'il habitait cette maison depuis deux ans seulement, on aurait dit qu'il y était né et y avait entreposé tous les cadeaux depuis sa naissance et on l'avait comblé, submergé pendant dix-sept ans de surprises en tous genres. Enfant, ce que j'aimais dans les jouets, c'était les catalogues. Ils me faisaient rêver à ce que je n'aurai jamais. Trop chers, trop superflus et pas assez chrétiens : offrir une montre à la première communion, faire un sapin à Noël, tout cela était réservé aux mauvais catholiques, nous on allait droit à l'essentiel, on priait.

Dans un coin qui sentait le plastique et la plage, Dario m'a fait asseoir sur des fauteuils pneumatiques orange et ronds, il m'a désigné la pièce : C'est trop grand, non ? il m'a demandé.

— Un peu…

— Tu vas à la boum d'Anne-Sophie samedi ?

— Je sais pas… En fait non… ma mère aime pas trop…

— Je t'ai vue pourtant. Dans des boums.

— Le mercredi.

— Ah bon.

— Le mercredi je… je dis à ma mère que je révise chez France, mais le samedi… il y a mon père alors, on reste en famille.

Il n'a plus rien dit. Il m'a regardée. Tellement longtemps que j'ai cru un moment qu'il m'avait oubliée, il avait dérivé sur autre chose et je ne savais pas ce que je devais faire, j'étais seule face à Dario, chez lui pour la première fois, dans une salle remplie de jeux inutiles, des odeurs de chocolat venaient jusqu'à nous, ses yeux bleus assombris soudain étaient posés sur moi avec une douceur et une concentration qui allaient sûrement me donner un coup de soleil tant j'avais chaud, je n'osais pas bouger sur ce fauteuil pneumatique qui couinait, je me disais que même si ce temps me paraissait infini il finirait, on n'allait pas rester les yeux dans les yeux jusqu'à la nuit des temps puisque demain il faudrait retourner au lycée et que ce soir je dînerais avec les miens dans la salle à manger c'était sûr. C'était sûr que la vie c'était pas ça et pourtant, c'était là que je la sentais, et d'une façon nouvelle, une vie concentrée soudain, une vie qui n'avait pas besoin de rêve pour la remplacer, elle était amplement suffisante cette vie-là pour que mon cœur galope au-delà de sa vitesse autorisée, et sûrement il n'avait fait que paresser jusque-là et maintenant il était vaillant prêt à se dégourdir enfin, et Dario continuait à me regarder, un long regard qui prenait son temps, un regard tranquille qui s'était installé sur moi et n'en bougeait plus, et puis il a souri, un sourire qui m'a fait venir les larmes aux yeux alors mon cœur a été dépassé par la situation, quatre valves cardiaques ne suffisaient pas, j'étais essoufflée, je respirais par petits coups, l'air me manquait et quand Dario a tendu le bras vers moi,

118

quand sa main s'est approchée de mon visage, quand lentement ses doigts ont touché ma nuque et dénoué mon élastique, libérant mes cheveux, je me suis évanouie.

Cet évanouissement nous a fait comprendre une chose essentielle : nous devions aller lentement, encore plus lentement si cela était possible. Dario ne tentait plus aucun geste, ce qui après nous avoir soulagés quelque temps est très vite devenu un supplice, une appréhension dont j'ignorais la nature : est-ce que j'avais peur qu'il pose la main sur moi ou est-ce que je n'en pouvais plus d'attendre ? J'avais les nerfs à vif et bientôt ma vie entière est passée par le filtre de cette attente. L'espace entre nous est devenu différent, on aurait dit qu'il nous tenait, nous soudait par les épaules, le dos, le ventre, nous étions des siamois invisibles. Nous marchions, nous respirions différemment des autres, avec toujours une petite douleur au creux du ventre, au bas des reins, et le cœur chargé, trop lent, comme à la traîne. Plus nos corps étaient proches, plus se parler devenait difficile. Dario me regardait moins. Un regard de Dario, c'était un geste. C'était une parole. On se méfiait de ça, aussi. On se méfiait de tout. Alors il est retourné à ses occupations premières, il est redevenu le flirt préféré de la moitié des filles du lycée. Je le regardais des après-midi durant dans ces boums répétitives, lourdes d'ennui et de sexualité réprimée, d'intimité publique, de baisers volontaires, je guettais le moment entre deux slows où il poserait son poignet sur son front, où il respirerait différemment, où son regard se perdrait, où je serais seule à le voir. Et ce geste est devenu le sens de ma vie. Christine avait Mike Brant. Ma mère ses croix. Mon père ses papillons morts. J'avais l'abandon de Dario. Qui en augurait d'autres. Et je décidais de survivre à l'attente, de m'endurcir face au trop-plein d'émotions, pour aller un jour vers lui sans m'évanouir, et me donner entièrement, l'aimer jusqu'à l'épuisement et retrouver ce geste, après, pour moi seule. Il va sans dire que je ne savais absolument pas comment m'y prendre, je n'avais qu'une idée très floue de ce que cela pouvait être, faire l'amour, il y avait quelques descriptions dans les livres, des scènes bouleversantes au cinéma, les récits forcés des copines qui revenaient d'Angleterre ou de vacances au camping et qui racontaient des choses que je ne comprenais pas. Magali Finel avait dit une fois que son frère après avoir couché avec une Allemande avait dit « Putain elles sont longues les Allemandes ! » et il n'était pas content. Je ne comprenais pas. Est-ce que les Allemandes étaient grandes ? Trop grandes pour que les garçons puissent se mettre sur elles et les recouvrir ? Une autre m'avait expliqué qu'elle avait une cousine idiote, elle et son mari n'arrivaient pas à avoir d'enfants, alors ils étaient allés voir un médecin qui avait découvert le ventre de sa cousine « tout abîmé tu vois, parce que ces tarés ils se pénétraient pas ils faisaient l'amour par le nombril ». On entendait des choses comme ça, des inepties qui avouaient notre innocence en pensant la combattre. L'amour était toujours un peu sale. C'était un mystère qu'on aurait voulu plus grand, mais qui semblait rétrécir dès qu'il s'éclaircissait, il devenait commun, un peu gris, on était déçu à l'avance mais poussé tout de même à y aller, en espérant découvrir quelque chose que les autres ignoraient.

On aurait dit que les filles qui le faisaient une fois ne pouvaient plus s'arrêter et multipliaient les partenaires, là-haut dans la colline derrière le lycée, près du gymnase. On les regardait avec envie en les traitant entre nous de « filles faciles », voire carrément de « putes » pour celles qui étaient d'un milieu plus défavorisé. On se sentait autorisé au dédain. Il y avait celles aussi qui se prostituaient au café des Deux Garçons, qu'on appelait Les deux G, elles « faisaient des choses » à des vieux dans les toilettes puis filaient au Monoprix tout proche et s'achetaient des paires de collants et du rouge à lèvres. Il y avait la chanson de Johnny Halliday que nous n'avions pas le droit d'écouter à la maison : « Que je t'aime », sa façon de chanter « quand on a fait l'ammmmour », qui bouleversait autant que les images du corps lourd comme un cheval mort, ou celle de Sylvie Vartan (on imaginait Sylvie Vartan) qui se sentait « chienne », c'était une chanson dérangeante, trouble, qui disait l'amour comme un combat.

Sur notre monde planaient en permanence l'ignorance et l'envie de l'amour. On regardait les autres. Comment ils faisaient, ce qu'ils racontaient, et comment ils en revenaient. Est-ce qu'on deviendrait comme eux, après ? Est-ce qu'on aurait cette assurance et cette façon un peu fanée d'en parler, ce mépris de celui ou de celle avec qui « on était sorti » ? Une déception qui prenait de la hauteur en salissant son partenaire.

Moi je regardais Dario, et j'attendais.

— Nan mais t'attends quoi là, avec tes chaussettes et tes jupes à carreaux, vraiment c'est trop con, tu sais que t'es mignonne en vrai ?

— Tu crois ?

— Je t'assure Emilie, on en parlait entre nous on disait c'est trop con Emilie elle pourrait être super jolie si elle voulait. Bon, déjà sans la queue-de-cheval c'est mieux hein.

Si je voulais… Si je voulais… Je me suis adressée à tante Suzanne pour qu'elle aille au front à ma place. Elle avait convaincu ma mère de m'acheter des collants Dim, c'était la grande époque des pubs et des filles Dim avec leurs jambes de toutes les couleurs. Elle avait dû avancer des arguments percutants pour que ma mère accepte, je les entendais parler dans la cuisine, elles bousculaient les plats et les couverts, c'était nerveux comme dans une arrière-salle de restaurant. Tante Suzanne avait dit « Si tu lâches rien Anne-Marie, la puberté d'Emilie va être terrible ! ». Ma mère avait dit « Oh non pas ça mon Dieu ! » avec une voix tellement effrayée et suppliante que j'avais dit à ma tante qu'en plus des collants rouges je voulais un jean, aussi. Je l'avais eu.

Dario avait dénoué mes cheveux. Il avait eu le premier geste pour délivrer un peu ma féminité. Je n'étais pas pressée. Je savais que la suite viendrait. Je me souvenais de Marrakech, cette perception nouvelle de moi-même. Et puis je pouvais être dangereuse, avoir une puberté rebelle qui menacerait ma mère... Je pensais à ça en faisant tapisserie le mercredi après-midi, face à tous ces ados semblables et qui me considéraient comme une fille timide, voire coincée et qui ne savaient pas que je pouvais devenir une fille dangereuse.

Ai-je jamais attendu Marc, comme j'avais attendu Dario ? Lorsque je l'ai rencontré je n'avais plus d'innocence. J'avais été à Dario et à personne d'autre après, je veux dire, personne qui vaille la peine de se souvenir. Je revois seulement des studios minuscules dans le vieil Aix, des matelas posés par terre, du désordre, des matins blancs et roses sur les toits de la ville et cette envie de fuir le réveil de l'autre. Il se lève, les cheveux en pétard, file aux toilettes et pisse longuement en gueulant « Tu veux un café ? », puis la chasse d'eau, les pieds nus qui traînent un peu et l'appréhension qu'il vous embrasse maintenant, sans s'être lavé les dents, avec ces petites taches de salive séchée aux coins des lèvres, parce qu'il a un peu bavé en dormant. Ce sont des êtres qui ont eu tellement d'importance, pour d'autres femmes. Qui les ont fait souffrir, pour qui elles ont souhaité mourir peut-être. Ce sont des garçons inscrits dans des histoires d'amour et de paternité, des fils qui ont appelé leur mère le dimanche soir avec des mots gentils, des attentions touchantes, et ces hommes qui ont marqué des vies, n'ont été pour moi qu'une silhouette.

Je ne les aimais pas. Ils n'étaient jamais Dario. Ils faisaient ce que font tous les garçons, ils prenaient leurs responsabilités, ils essayaient de le faire. Le métier d'homme. Appris trop vite, sans flânerie ni détour, rien que du temps mis à profit, de l'enseignement sans initiation. Parfois je me disais que Christine en savait plus long qu'eux, elle savait à force d'apprendre la vie à travers une seule chanson, ce que méditer veut dire. « Un nouveau jour sur la terre, nous portera la lumière. » Mysticisme de variété. Et que Mike Brant ne comprenne pas ce qu'il chantait ne faisait que donner aux paroles leur portée universelle, le sens était dans l'élan, pour dépasser la pauvreté des rimes.

Avec Marc, notre histoire relevait de l'évidence. Nous nous plaisions, nous avions les mêmes goûts, le même âge, un même désir de quitter Aix pour partir vivre à Paris une vie nouvelle qui nous paraissait aussi vaste et inconnue que la ville. Nous pensions que notre histoire s'ajusterait à ce que nous imaginions de cette capitale, où tout ce qui était important se décidait, où les objets d'art étaient à l'abri, les librairies, les cinémas, les théâtres nombreux, une ville en effervescence dans laquelle comme par mimétisme, nous donnerions le meilleur de nous-mêmes. Il n'en a rien été. Les premières années, bien que vivant dans Paris, nous en restions à la périphérie. Tout était cher et la nature nous manquait. La violence était partout, dans l'impatience des foules, l'agressivité, la fatigue et la résignation revêche. Il y avait trop de tout : trop de monde et trop de magasins, de manifestations, grèves, affrontements, défilés, matchs, festivals, évènements, scandales, mégaconcerts, embouteillages monstres, et aussi les squats et la misère, les palaces et les hôtels borgnes, Paris était toujours imprévisible et trop plein, Paris vomissait sans retenue et sans préavis, Paris débordait et souvent me faisait peur.

Et puis Paris s'est rendue. Après des années d'hésitations d'un quartier à l'autre, de studios minuscules en appartements anciens, toujours à la merci d'un dégât des eaux ou d'un chauffage défectueux, après des amis sans importance, des voisins bons copains, des boulots incertains, des années à être de la province, à rencontrer ceux qui venaient de Bretagne, et puis ceux qui venaient de banlieue, nous avons eu nos enfants, nous sommes devenus les parents qui vont à la crèche, attendent derrière les grilles des écoles, assistent aux réunions de parents, et inscrivent dans les dossiers des lieux de naissance et des domiciles cent pour cent parisiens. Enfin nous avions à Paris nos souvenirs, nos lieux, nos bonnes adresses et nos préférences.

Après avoir été barman au bar de l'hôtel du Louvre, représentant chez L'Oréal, chauffeur routier international, livrant dans les pays de l'Est du matériel informatique et quelques alcools non autorisés, Marc est devenu chauffeur de taxi. Il adore son métier, puis le hait, annonce chaque mois qu'il va l'arrêter pour ouvrir un restaurant, une agence de voyages, former des guides parisiens pour touristes aveugles, ou plus récemment, fonder une association européenne d'agoraphobes désireux de visiter les 27 capitales de l'Union. Ce qui l'épuise, plus que les embouteillages ou la position assise 10 heures durant, c'est le côté physique de sa profession, car il ne se passe pas une semaine sans qu'il sorte de son taxi pour casser la gueule à un « sale chauffard danger public sors de ta bagnole si t'es un homme », beaucoup sont des hommes. Beaucoup sortent de leurs bagnoles, et sans hésitation.

J'ai une armoire à pharmacie digne de Médecins du Monde, je sais arrêter une hémorragie, poser du steristrip sur des arcades sourcilières ouvertes, frotter des glaçons sur des lèvres coupées, masser des poignets foulés, bander un genou, un pied, une main, et surtout écouter les récits d'empoignades, de luttes, et de démêlés avec les flics.

La baston n'est pourtant pas la passion de Marc, et s'il en vient aux mains c'est simplement comme il le dit, par horreur de l'injustice et des queues-de-poisson. La passion de Marc ce sont les récits de ses clients, dont les plus insolites, les plus touchants ou les plus absurdes sont soigneusement notés dans de grands cahiers bleus, couleur de son taxi, et une vitrine est réservée dans son bureau à ce qu'il nomme ses « objets mouvants ». Ce ne sont en vérité que de simples objets oubliés sur la banquette arrière, qu'il conserve après leur avoir mis à chacun une étiquette : « billet d'avion pour Bratislava » « portable de la dame en pleurs » « livre du jeune veuf » « manuscrit de Richard III » « fauteuil d'orchestre pour l'Opéra » « culotte anonyme du 23 juillet » « lettre de chantage du 24 décembre » « manifeste pacifiste », etc.

Est-ce que Marc et moi nous nous aimons ? Il me semble plutôt que nous nous entendons bien, malgré nos chamailleries, et que nous faisons ce que nous avons à faire. Nos amis qui divorcent les uns après les autres au rythme régulier d'une séparation tous les trois mois, nous disent combien nous avons de la chance d'être ainsi tous les deux « sur la même longueur d'onde ».

Ce qu'ils ignorent c'est que cette onde n'est pas mouvante, elle ne danse pas dans l'air et ne vibre effectivement pas assez pour nous jeter par-dessus bord. Nous sommes dans le même hamac. Ça tangue autour de nous, et nous nous tenons.

Après l'annonce de Dario dans le journal, je suis partie là où ça bat, là où tout ce qui nous occupe habituellement devient dérisoire et disparaît, exactement comme si nous étions morts. Les dates des agendas, les chiffres de l'argent que l'on gagne, de l'argent que l'on perd, que l'on prête que l'on emprunte, nos vies en équation, les notions d'un espace réduit et d'un temps carnivore, je les oubliais tandis que je conduisais sur une nationale de la Drôme et que déjà l'air avait des senteurs de fleurs séchées et d'arbres résineux. J'avais quitté le matin même la petite ville laide au bord de la nationale, la rue piétonne et le Blue Bar, les hommes perdus, les couples seuls.

J'avais mis la radio, Carusso chantait « Les pêcheurs de perles », et le disque grésillait entre le génie et l'essoufflement. « Aux clartés des étoiles je crois encore la voir, entrouvrir ses longs voiles… » Je me suis mise à chanter avec une émotion qui me menait aux bord des larmes et j'avais le droit. J'étais seule dans ma voiture et je pouvais être ma propre folle. Je pouvais gueuler, chanter, pleurer, parler, rire, je pouvais regretter que Dario ait cinquante ans, regretter de n'avoir jamais aimé vraiment mon mari, regretté que mes filles ne soient plus jamais mes bébés, même pour une heure, quelques minutes, regretter de ne pouvoir retrouver la peau de 17 ans de Dario, et l'innocence de cet homme aux mille femmes, ce ragazzo préservé. Je ne le tiendrai plus jamais pour la première fois dans mes bras. Où vont nos gestes ? Si l'on reçoit autant que l'on a donné, tenu, bercé, serré jusqu'à en perdre le souffle, est-ce qu'un jour on nous rappelle ? Un jour on nous demande de revenir et de recommencer ?

Un type faisait du stop, je me suis arrêtée à sa hauteur, il en a été surpris d'abord, puis avec une petite moue heureuse il s'est précipité vers la voiture. Il n'avait pas de bagage et ne ressemblait pas à un garçon qui fait la route. Il est monté après m'avoir remerciée plusieurs fois, des « merci madame » assez agaçants je dois dire. Madame madame madame… à quel âge s'y fait-on ?

— Vous allez où ? j'ai demandé.

— N'importe.

— Pardon ?

— Le plus loin possible.

Je l'ai regardé. Il avait un joli profil, le nez droit, les cheveux fins, les pommettes bien dessinées, je lui donnais 25 ans. Ses mains posées à plat sur ses genoux tremblaient un peu.

— Vous êtes du coin ?

— Quel coin, madame ?

— Ici…

— Personne n'est d'ici.

Pourquoi est-ce que je m'étais arrêtée pour prendre ce gars dans ma voiture ? Où est-ce que j'allais bien pouvoir m'en débarrasser et sous quel prétexte ?

— Je peux fumer, madame ?

— Ah non ! Si vous voulez je peux m'arrêter, vous descendez, si vous ne pouvez pas vous empêcher de fumer, vous pouvez sortir, mais la cigarette dans la voiture alors là…

— Hey ! Ça va c'est bon ! Vous voulez que je descende, c'est ça ?

— Non.

— Vous voudriez que je vous dise que je viens de tomber en panne, ou bien que j'ai loupé le bus, quelque chose comme ça ?

— Je m'en fiche.

— Hein ?

— Vous faisiez du stop, maintenant vous êtes dans ma voiture, le reste je m'en fiche.

— D'accord.

Et il s'est tu.

J'avais éteint la radio. On roulait sans se parler, dans un silence qui me gênait plus que lui. Il regardait droit devant en hochant la tête de temps à autre, comme s'il accompagnait une musique. Je ne pouvais plus penser à rien, dériver lentement, il avait une façon d'être là qui même dans le silence, prenait toute la place.

— Vous allez bien quelque part, j'ai dit.

Ça l'a fait rire.

— On dirait ma mère, il a dit gentiment.

— Je pourrais être votre mère. Ma fille aînée elle doit avoir votre âge, vous avez quel âge ?

— Vingt-sept ans.

— Ah… je vous donnais un peu moins.

— Vous, vous faites jeune pour avoir une fille de 27 ans.

— Ma fille aînée a 23 ans. J'ai trois filles.

Ça ne l'a plus intéressé, et de nouveau on ne s'est plus parlé pendant quelques kilomètres. Puis il a sorti du tabac à rouler en me disant qu'il s'en préparait une, qu'il fumerait plus tard, et « Ça ne sentira pas dans votre voiture, ne vous inquiétez pas madame ».

« Alors ne vous inquiétez pas madame ! Le concert va commencer dans quelques instants madame ! »

C'était une de ces après-midi d'août surchauffées, les volets en fer étaient brûlants, le soleil tapait dessus nous donnant l'impression de vivre dans une boîte en métal, nous devions allumer la lumière tant l'appartement était plongé dans la pénombre, Christine allumait nos lampes de bureau qu'elle dirigeait vers elle en gueulant « Pleins feux sur la scène s'il vous plaît, pleins feux sur Mike Braaaant ! ».

J'avais 14 ans. L'été était long, nous étions rentrés depuis le 15 août de la maison familiale en Auvergne, vieille et grande maison toujours sale, toujours froide, un lieu dans lequel on ne s'aimait pas, et qui nous le rendait bien. J'avais 14 ans et je n'en pouvais plus de passer mes après-midi à assister aux faux play-back de ma grande petite sœur, de la surveiller « comme l'huile sur le feu » ainsi que me le recommandait ma mère qui passait ses après-midi au presbytère à préparer la rentrée des catéchèses.

J'ai regardé Christine, ses yeux suppliants, son cou renversé, les efforts qu'elle faisait pour être aussi touchante que Mike Brant, et puis je lui ai piqué un projecteur : j'ai incliné une lampe sur mon bureau et sur une grand feuille blanche j'ai écrit : « Prière de la ramener si elle se perd, à la Petite Chartreuse Batiment B Aix-en-Provence ». Et j'ai agrafé la feuille à sa chemise bleue (ma mère s'arrangeait toujours pour récupérer les habits abîmés de ses Jeannettes et nous les refiler après en avoir raccommodé les accrocs avec du gros fil blanc qui ressemblait à de la ficelle pour rôti).

— Qu'est-ce que tu fais ? m'a demandé Christine, qu'est-ce que t'as écrit ?

— Pose le micro Christine, on sort.

— Maman veut pas.

— C'est pour ça qu'on lui dira pas.

— Ça va pas la tuer ?

— Non.

— Toi aussi tu vas être sa croix ?

— Non, moi je suis sa plaie. La croix c'est toi.

— Mais qu'est-ce que t'as écrit ?

— Eteins les projos, on sort je te dis.

Christine avait un sacré instinct et elle me connaissait bien. Ce jour-là elle se méfiait et elle avait raison, même si au départ je ne pensais me livrer qu'à une simple expérience. Mais Christine, malgré ses craintes, n'a jamais pu me refuser quoi que ce soit. Elle se serait jetée par la fenêtre pour moi si je le lui avais demandé. Elle aurait insulté nos parents, jeté ses 45 tours, arraché les ailes des papillons de mon père, si je lui avais dit que rien d'autre ne pouvait me faire plus plaisir. Elle ne s'est jamais endormie sans un « Mimile je t'aime », qu'elle croyait me dire tout bas mais qui s'entendait dans tout l'appartement. Moi je répondais « Chut... », et de sa grosse voix, loin d'en prendre ombrage elle répondait simplement « D'accord », et recommençait le lendemain. Pourquoi ne lui ai-je jamais répondu ? Elle n'avait pas besoin de me dire chaque soir qu'elle m'aimait, elle avait juste besoin que je le lui dise en retour, juste une fois, et alors elle aurait cessé.

— On va où ?
— En ville.
— Dis-moi ce que tu as écrit.

Nous étions sur la route des Minimes, sur le trottoir étroit et défoncé ombragé de platanes, que les voitures frôlaient, faisant valser les papiers gras et le pollen. Je lui désignais le premier mot de la pancarte et lui demandais de le lire, tout en la mettant sur la voie :

— Cette lettre c'est le « peu » ! Le « peu » de « pri », le « peu » de « pri... pri... » ! Mais fais un effort Christine ! Tu connais ça par cœur c'est une chanson !

— Une chanson que je connais ?
— Par cœur !

Elle a réfléchi avec l'angoisse folle de me décevoir, elle poussait d'énormes soupirs, ses yeux me suppliaient de l'aider.

— Réfléchis un peu : quelle chanson tu connais Christine, vas-y n'aie pas peur, lance-toi vas-y, quelle chanson tu connais ?

— Je connais… Je connais… « C'est ma prière » ?

— Oui !

Elle a ri fort en se balançant et son sourire n'en finissait plus de manger son visage. Mais quand j'ai dit : « Tu vois j'ai écrit : "Prière de la ramener si elle se perd, à la Petite Chartreuse bâtiment B Aix-en-Provence" », elle a cessé de rire. Elle m'a regardée avec concentration, ses petits yeux plissés derrière les gros verres de ses lunettes.

— J'ai mal au ventre. Je veux aller aux cabinets.

— Mais non.

— Mais si…

— Je te dis que non. Christine écoute-moi bien : est-ce que tu veux vivre une expérience que seul Mike Brant a vécue ?

— Mais j'ai mal au ventre.

— Christine, tu le sais que Mike Brant quand il était petit il parlait pas ?

— Oui…

— Tu le sais que sa mère elle avait vendu ses meubles pour payer le voyage en Amérique, pour voir les spécialistes ?

— Même la table ?

— Hein ?

— Elle avait vendu même la table ?

— Ouais.

— C'est triste.

— C'est pas triste, ça valait le coup.

— Oui.

— Mais c'est grand l'Amérique tu es d'accord ?

— Ah oui ! Je suis d'accord !

— Alors, si jamais le petit Moshe, parce que n'oublie pas qu'il s'appelait « Moshe » vu qu'il était muet Mike Brant et que c'est la raison pour laquelle il était en Amérique, vu qu'un muet peut pas chanter, on est d'accord là-dessus ? On est d'accord là-dessus ?

— Hum…

— Et sa mère avait tellement peur qu'il se perde dans les rues de New York, qu'elle avait mis cet écriteau au cou de son petit garçon, avec une autre adresse bien sûr, une adresse de New York. « S'il se perd prière de le ramener… » je sais pas moi… « 42ᵉ Rue » par exemple, tu vois, ou bien « à l'épicerie casher de Manhattan », enfin bref ! Toi, tu as le même écriteau, mais version Aix, alors vas-y, fais Mike Brant ! Fais Moshe, va en ville, on va voir si les gens sont prêts à t'aider, à te ramener si tu te perds.

Elle ne bougeait plus. Elle me regardait. Muette elle aussi. Interdite.

— Voilà, c'est comme ça, tu parles plus et les gens doivent te ramener à la maison.

Elle faisait un effort désespéré pour m'obéir, mais plus encore pour comprendre ce que j'attendais d'elle, ce qu'elle devait faire exactement. Une femme sans âge qui revenait du Géant Casino, les bras chargés de paquets, s'avançait vers nous. J'ai soufflé à Christine : « N'oublie pas que tu es perdue, tu ne sais pas où est ta maison », et quand la femme a été à sa hauteur, Christine s'est plantée devant elle :

— C'est où ma maison, madame ?

La femme a ouvert des yeux effarés, comme beaucoup elle avait l'air de trouver totalement incongru que Christine s'adresse à elle, la traitant ainsi d'égale à égale. Elle a passé son chemin en soufflant qu'elle avait pas de temps à perdre, elle le disait pour elle-même, les yeux rivés sur le bitume sale, les bras lestés de ses courses. J'ai attrapé Christine par le bras, elle a essayé de se dégager, je voulais lui expliquer plus clairement la marche à suivre, mais elle m'a repoussée avec toute la force qui était la sienne, et a arrêté un vieillard qui marchait sur le trottoir, un vélo à la main, sur lequel de toute évidence il ne devait jamais monter.

— C'est où ma maison ?

— Hein ?

— C'est où ma maison ?

Je me suis interposée, j'ai pris Christine par le cou et lui ai murmuré :

— Laisse passer le monsieur avec son vélo Christine, en vérité tu ne dois pas parler, ni…

Un vaillant coup de coude dans le ventre m'a coupé le souffle, Christine a toujours eu une force ramassée et impressionnante.

— Toi je te parle pas ! elle a gueulé sans même me regarder.

J'ai compris qu'elle n'avait vraiment pas saisi les règles, je suis revenue à la charge.

— Christine, le principe c'est que…

— Au secours ! elle a hurlé. Au secours ! Au secours ! Au secours !

Elle y mettait toute sa ferveur, sa force et sa panique. Le vieillard a décampé avec toute la vitesse dont il était capable, Christine hurlait toujours à l'aide en me repoussant violemment, je n'avais plus aucune prise sur elle, elle ne m'entendait plus et s'était mise à croire à son malheur et à me considérer comme son ennemie, impossible de lui faire entendre raison. Un groupe d'adolescents est passé en nous évitant au maximum, préférant marcher sur la route au risque de se faire écraser, plutôt que de seulement frôler ces deux filles hystériques. Un type en mobylette s'est arrêté à notre hauteur pour nous demander ce qu'il se passait, il semblait compatissant et gentil, mais quand Christine a hurlé « Au secours ! Je suis muette à New York ! » il a remis son casque et décampé fissa, et pour finir, j'ai paniqué à mon tour. Je faisais signe aux voitures de s'arrêter, espérant faire monter Christine et qu'on nous ramène sans scandale à la maison. Elle gueulait toujours qu'elle était muette à New York, et puis soudain elle a grimacé en se tenant le ventre, ce qui l'a ramenée à la réalité : « Je veux faire caca, Mimile, c'est urgent ! » elle m'a dit. Au même moment par bonheur, une jeune femme au volant d'une 4L toute neuve s'est arrêtée, c'était la fille d'une voisine, elle a reconnu Christine et s'est proposée de nous ramener à la maison, nous étions sauvées.

Très vite dans la voiture, ça s'est mis à sentir très fort, j'ai regardé Christine qui se tenait le ventre en souriant étrangement maintenant... La femme nous a jeté un regard effaré, « Qu'est-ce qui se passe ? Qu'est-ce que c'est cette odeur ? Qu'est-ce que vous avez fait ? Vous êtes malade ? Hein ? Vous êtes malade ? ». Et là Christine, après un profond soupir de soulagement lui a simplement murmuré : « Ne vous inquiétez pas madame. Je suis pas muette. »

Maman, par le plus grand et le plus malheureux des hasards, est arrivée en bas de l'immeuble au moment même où la fille des voisins nous virait de sa voiture en nous menaçant d'un procès.

Christine pleurait maintenant. Son ventre soulagé. Son écriteau toujours agrafé sur sa chemise bleue de Jeannette.

« Vous avez vraiment envie de fumer, hein ? On va s'arrêter, j'ai besoin d'un café. »

En voyant ce garçon descendre de ma voiture, j'ai pensé à Marc et à toutes les histoires qu'il me racontait, les rencontres incroyables qu'il faisait, et comme il aimait faire parler les gens, surprendre des bouts de vie, des débuts de liaison, les confidences que lui faisaient les clients parce qu'ils savaient qu'ils ne le reverraient jamais. Il avait aménagé son taxi exactement comme une petite salle d'attente : revues bien sûr, mais aussi petits mots prévenants, sur le parcours souhaité mais aussi sur la musique, car il avait des musiques appropriées pour chacun. Aux touristes américains qui venaient pour la première fois à Paris il passait Edith Piaf et Maurice Chevalier, aux amoureux il mettait des chansons de variétés, Cali, Frank Sinatra, Olivia Ruiz ou Jacques Brel, c'était selon le type et l'âge, il avait aussi des stocks de musiques du monde pour les étrangers en mal du pays. Il parlait l'anglais, comprenait un peu d'italien et d'espagnol, et s'initiait depuis un an au russe, se passant les cassettes de la méthode ASSIMIL quand il était à vide. Il apprenait « Otchy Tchornié » mais se refusait à aborder la politique. La neutralité politique était une règle d'or. Il avait tout de même viré une fois un bras droit de Le Pen, un prêtre intégriste, une femme enceinte, mais antisémite...

Je me retrouvais à partager un café avec ce jeune garçon étrange, qui fumait sa cigarette les yeux mi-clos, le visage tendu vers le soleil de midi. Il souriait, parfois même riait doucement, pour lui-même.

— Qu'est-ce qui vous rend heureux comme ça ?

— La loi du cosmos.

— Ah...

Il m'a regardée avec douceur, conscient tout de même de son effet, jouissant secrètement de sa différence.

— Chacun appartient à un élément, il suffit de savoir lequel, j'étais par exemple la semaine dernière chez une fée, une fée noire qui ne peut vivre que la nuit et ferme ses volets le jour, il lui est impossible de voir la lumière du soleil, impossible.

— C'est triste. Vous avez faim ? Je vais manger quelque chose, je vous invite.

— Une omelette. Cette fée n'était pas triste, elle connaissait son karma, c'est tout. L'an passé j'ai rencontré un druide...

— Nature ? L'omelette vous la voulez nature ?

Il a éclaté de rire cette fois-ci :

— Vraiment madame, vous ressemblez à ma mère ! Je suis sûr que vous préféreriez que je vous

parle des arbres… et vous n'auriez pas tort. Mon psy
lui, n'aime pas trop que je lui parle des arbres…

— Vous venez d'où ? Je veux dire : là, maintenant, vous venez d'où ?

Ses yeux sont devenus subitement noirs, il a grimacé de douleur et s'est levé. Je l'ai rattrapé par la
manche et fait rasseoir.

— Ça ne me regarde pas. Dites-moi seulement
votre nom, moi je m'appelle Emilie.

Il n'a rien répondu. Il s'est roulé une autre cigarette, puis quand ça a été fini, il l'a allumée en murmurant :

— Emilie… Emilie… Vous êtes italienne, alors ?

— Ah non, Emilie c'est très français !

— Emilie c'est en Italie. Emilie-Romagne, vous
connaissez pas ? On y parle l'emiliano-romagnol.
Vous parlez l'emiliano-romagnol, madame ? Non ?
J'espère pour vous que vous le parlez, moi je
m'appelle Pierre, et je suis très solide, ça ne se voit
pas mais je suis hyper solide, je vis depuis très longtemps. Dans une autre vie j'ai été magicien, teintu-
rier et jardinier, oui jardinier. Dans un château en
Touraine. Un minuscule château.

Son portable a sonné. Il ne l'a même pas regardé.
J'ai pensé à sa mère.

— Pierre comment ?

— Pierre.

— D'accord. Je vous déposerai où ?

— Je vais rester ici, j'aime bien. Ou peut-être
non… Je vais en Inde, mais j'ai tout mon temps.

Les cloches se sont mises à sonner midi, long-temps, bien plus longtemps que les douze coups nécessaires, c'était un avertissement : l'heure sacrée du repas, le respect des heures.

Une fille très jeune, longiligne, au teint mat aux longs cheveux bruns, est venue nous servir. Sans nous regarder. Sans nous parler. Elle avait des gestes secs et précis pour placer sur la petite table ronde les couverts, les verres, la carafe et le pain, elle y mettait toute son attention agacée, une nervosité fébrile. Pierre lui a attrapé le poignet, elle l'a regardé un court instant, puis s'est dégagée.

— La peur est l'ennemie du bonheur, lui a dit Pierre.

— C'est ça ! elle a répondu, et elle est partie vers la salle, son corps mince qui semblait peser trop lourd, ses pieds qui raclaient le sol.

Pierre s'est levé pour la rejoindre, il s'est planté devant elle :

— Venez vous asseoir, je vous invite !

Elle l'a regardé avec lassitude, on aurait dit qu'elle faisait ce métier depuis des siècles et avait tout vu, rien ni personne ne pouvait la surprendre.

— Je bosse.

— Ah vous bossez ? Vous bossez vous ne pouvez pas me parler, c'est ça ?

— C'est ça.

Et elle a fait un pas de côté pour l'éviter et passer dans la salle. Il a été plus rapide qu'elle et lui a de nouveau barré le chemin.

145

— Je vais bosser avec vous !

— Dégage !

— Donnez-moi un tablier, un petit carnet, je vais bosser avec vous ! On va parler en travaillant ! Et même siffloter en travaillant !

La patronne, une toute petite femme dont la tête émergeait à peine de son comptoir est allée droit sur la fille. La claque est arrivée sans préavis.

— J'en ai marre, Jennifer ! J'en ai vraiment marre, file !

Jennifer a juste fermé les yeux le temps de la claque, puis est repartie du même pas fatigué, vers les cuisines. Les clients, tous des habitués, regardaient à peine. Certains levaient les yeux vers nous comme on lève parfois les yeux vers une télé allumée, occupé à tout autre chose. J'ai dit à Pierre que j'allais parler avec la patronne, qu'il m'attende dans la voiture, on allait repartir. Son regard a balayé la salle, puis il est sorti en courant.

— Ça vous gêne pas de frapper une autre femme ? j'ai demandé à la patronne.

— C'est ma fille, de quoi tu te mêles !

— Vous la frappez comme ça, simplement parce qu'un client lui parle ?

— Un client ? Ah ouais ? Ben on voit que tu le connais pas, hein ! Tu l'as pris en stop dans ta voiture, c'est ça ?

Et elle est partie servir, comme s'il ne s'était rien passé, la routine. J'ai cherché Pierre du regard, il n'était nulle part. J'ai passé une tête en cuisine, pas

146

trace de la fille non plus. Dehors, notre table était intacte, mais il n'y avait plus le tabac à rouler de Pierre, j'aurais juré qu'il ne l'avait pas pris quand il avait barré le chemin de la serveuse. J'ai jeté un œil alentour, je ne le voyais toujours pas. Je me suis inquiétée, comme si j'étais sa mère. Je me suis mise à le chercher, comme s'il avait dix ans. On le connaissait ici. Quelqu'un appellerait-il ses parents ? Ou viendrait-on le chercher ? Ses escapades étaient peut-être fréquentes et ses points de chute toujours les mêmes ? Mais c'est moi qui avais proposé cet arrêt, ce déjeuner. C'est moi qui l'avais amené ici. Et qui l'avais perdu.

Je connaissais bien ces villages du Sud, cette sensualité en toute chose, toute chose exacerbée par la
chaleur, les odeurs des corps toujours un peu salés,
un peu mouillés, nous avions beau l'été attacher nos
cheveux, les relever pour avoir moins chaud, nous
avions toujours dans la nuque ces perles de sueur, il
y avait le long de nos jambes ces gouttes qui descen-
daient jusqu'aux pieds, cette impression d'avoir marché dans l'eau, et la recherche de l'ombre, les objets
toujours brûlants : les sièges des voitures, les selles
des vélos, le bitume, le sable, le fer forgé des balcons
et des vérandas ; attendre un bus, marcher à midi,
s'allonger sur le sable, faire du sport, tout était
empreint de soleil et des dangers du soleil. Nos corps
avaient des odeurs fortes, les rues, les chemins de
campagne étaient chargés de senteurs, des plus
sucrées aux plus âcres, des odeurs de mimosa et
d'oignons cuits, de thym et de poisson mort, une
façon d'accepter que la vie soit mélangée et brasse le
meilleur avec le pire. Ce n'était pas net et propre.
C'était à prendre. Cru et sans détour. Les marchés
étaient bruyants. Les plages étaient bruyantes. Les

garçons sifflaient les filles. Les filles riaient fort. Les cyclomoteurs avaient des pots d'échappement percés. Les radios résonnaient dans les cours.

Mais chez moi, les volets fermés.

Et au fond de moi, l'attente de Dario.

Je ne sais par quel miracle, ou quelle inconscience, mes parents me laissaient aller chez lui. Peut-être étaient-ils impressionnés par le métier du père, et rassurés qu'à l'inverse, la mère reste à la maison, gardienne de ce qui pouvait s'y passer.

Pour ma part, je m'exerçais à ne pas m'évanouir. Je m'exerçais à regarder Dario. En détail et à son insu. J'étais comme un petit cheval que l'on dresse, mais j'étais mon propre dresseur, j'apprenais la marche et le rythme de la marche. J'apprenais son regard sur moi et comment y répondre sans faillir, je procédais par mimétisme et j'utilisais ses expressions, partageais ses opinions, et aussi j'osais des gestes : ôter un cheveu tombé sur son pull, remettre droit son col, prendre son bras pour prévenir un faux pas, et alors je respirais fort parce que mon corps m'échappait, je perdais le contrôle et la maîtrise du naturel. Et puis je recommençais. Je recommençais. Je recommençais. Un peu plus douce à chaque fois, avec des gestes moins brusques, des arrêts cardiaques moins fréquents.

Je voyais les filles collées à lui, bassin contre bassin, les lèvres sur les siennes et la banalité des baisers qu'elles voulaient « bien faits », comme au cinéma, à la télé, comme entre voisins à 10 ans, de la sensualité calibrée qui faisait l'objet de tout un système comparatif, dans nos petites chambres, nos cours de récré, les conversations des débutantes. Aucune de ces filles n'aurait osé dire : « Je ne sais pas. » Toutes voulaient comprendre. Et bien faire. Je les voyais collées à lui et je les plaignais de ne pas craindre la chute, je finis par m'enorgueillir d'être celle qui ne pouvait pas être dans le simple flirt, j'aimais ce danger qui me frôlait et ne les menacerait jamais. Alors je suis devenue leur confidente et leur conseillère, de toute mon innocence je les écoutais et leur donnais la marche à suivre, j'aidais à répondre à des avances, à aborder un garçon, à planifier un rendez-vous, à mentir, à tricher aussi, j'aidais à passer des coups de fil, à rédiger des lettres... J'ai tellement écrit pour elles à Dario, des mots bêtes, des sentiments butés, des ultimatums dont il se fichait je le savais, des menaces qu'il ne comprenait pas, des élans et des emportements qui étaient autant de méprises. Il ne jouait pas le jeu, car ce n'était pas un tricheur. On voulait de lui, il était là. Les arcanes, les manigances, les histoires que l'on s'invente les problèmes que l'on se crée dans l'espoir de vivre quelque chose, il ne le comprenait pas et s'en fichait. Je voyais parfois chez lui, dans la corbeille à papiers, des lettres que j'avais dictées et qui étaient jetées sans même être froissées ou déchirées, simplement jetées, et je savais quel avait été le geste de Dario, la nonchalance avec laquelle il avait simplement laissé tomber la feuille à la poubelle, cette distraction qui était son élégance. Je souriais malgré moi. C'était un prince que l'on prenait pour un bon coup et qui n'était là que par hasard.

Aux premiers jours de juin nous sommes allés nous baigner. C'était pour moi une nouvelle étape de l'apprentissage, une épreuve que je souhaitais depuis longtemps. J'y avais été un peu fort pour que ma mère m'achète le maillot que je souhaitais, un deux-pièces. Je n'avais pas tenté le bikini, qui aurait signifié trop clairement de quel côté de la vie je me situais et signé une interdiction de sortie immédiate. Même avec une puberté menaçante, même avec l'appui et peut-être même surtout avec l'appui de tante Suzanne, le bikini n'était pas envisageable. Il était réservé aux Marseillaises, qui étaient de pauvres filles vulgaires qui parlaient avec l'accent du bas peuple, et en dehors de la région, aux Claudettes, qui les agrémentaient de talons hauts et de strass, de rouge à lèvres et de cuisses pailletées, tout ce qu'appelait ce maillot de stripteaseuse.

Mon deux-pièces avait l'étrange particularité de ressembler à un maillot une pièce sitôt que j'étais assise. Il fallait que je me tienne debout et m'étire vaillamment les deux bras vers le ciel, pour qu'on se rende compte qu'il y avait un espace libre entre mon nombril et mes côtes. Le bas était un large short qui me faisait des hanches de femme plâtrée, et le haut recouvrait et écrasait mes seins comme si on avait tenté d'arrêter une montée de lait. C'était immonde. Mais j'avais ma petite idée. Je ferais du monokini. Je n'avais plus rien à perdre et devais bien m'affranchir d'une façon ou d'une autre de la mainmise maternelle, catholique et papale.

J'avais dit à Dario que je préférais Cassis. Ce qui était totalement faux. L'eau à Cassis est glacée, mais les criques seraient mes alliées, on pouvait y être seuls, protégés et cachés. Je n'avais pas envie de me retrouver sur une plage des Lecques ou de Carry, avec une horde de filles en bikinis et Dario posé là comme le jeune garçon de *Mort à Venise*, sa beauté mystérieuse et silencieuse, qui ferait chavirer jusqu'au plus âgé des baigneurs. J'avais décidé cet après-midi-là d'être seule à le regarder. Et faire un pas de plus vers lui. Refermer le monde au-dessus de nous et qu'on nous fiche la paix. Assez des boums et des slows, des rhums coca, du mauvais cannabis, des voix qui muent, des sexes épuisés d'attendre, des langues des lèvres des mains semblables, assez de ces initiations en groupe, ces sentiments de tribu.

Nous avons marché un peu dans la pinède pour descendre à la plage. L'air s'accordait à mon émotion, j'avais la gorge sèche, le soleil passait entre les pins comme des lames fines qu'on aurait tirées du feu, la terre était recouverte de poussière et d'épines, de petits cailloux et de coquillages cassés, des parcelles de rochers que le temps avait fragmentés, et j'étais moi aussi faite d'éclats, de désordre et de chaud. J'étais dans mon corps et un peu au-dessus aussi, je me voyais clairement marcher avec Dario vers la crique, je savais ce qui allait nous arriver, j'avais conscience que bientôt je serais « ni tout à fait la même ni tout à fait une autre », et je souriais à Dario, d'un sourire nouveau, plus tendre, presque amusé, auquel il répondait en se mordant un peu les lèvres, c'était la première fois que je le voyais gêné. Alors je lui ai pris la main pour descendre à la plage, un peu sa main, un peu les arbres, les branches auxquelles je me raccrochais et entre les deux j'étais protégée comme jamais. Ma vie aurait pu s'arrêter là. Entre le ciel et la mer. Entre les arbres et Dario.

Il n'y avait pas d'ombre dans la petite crique, et nous étions dominés par la lumière. Elle était d'une blancheur aride, et les galets chauds comme des petits pains, la mer faite seulement de reflets qui se balançaient doucement, nous étions à ses pieds, à jouer l'instant le plus pur de notre vie.

Mon maillot sentait le neuf, il était raide, je l'avais mis directement sous ma jupe, et lorsque je l'ai fait glisser à mes pieds, Dario est allé à la mer. Il est resté là, à regarder ses pieds dans les vaguelettes, l'écume baveuse, je voyais ses épaules se soulever et puis retomber, comme s'il poussait de gros soupirs. Il semblait dessiner avec ses orteils, repousser un peu les algues et les coquillages, et l'instant où il faudrait bien cesser de faire comme si je n'étais pas là.

Je l'ai rejoint, avec mon maillot improvisé « une pièce », mes seins minuscules et blancs que personne n'avait jamais regardés et dont je ne savais pas quoi penser.

Il a levé la tête vers moi, et puis il a regardé la mer, une main sur son front pour se protéger de la

154

luminosité et ses yeux reflétaient le bleu du ciel. Cette main sur son front était le geste que j'aimais, mais comme il ne disait rien, je ne disais rien non plus. On regardait la mer comme si on la voyait pour la première fois, et ça durait, en silence, sans bouger, sans un commentaire pour les voiliers, les barques de pêcheurs, les collines, on regardait la mer et on ne savait pas quoi en faire. Je répétais des phrases dans ma tête que je pourrais dire pour qu'on redevienne un peu nous, moins solennels, plus comme avant. Je disais « Elle est trop froide pour se baigner, non ? » « Tu as déjà fait du voilier ? » « Une fois j'ai pris le ferry », mais je n'arrivais pas à parler. Je regardais le soleil plongé dans la Méditerranée et je voyais Dario danser, bouger doucement en mêlant ses doigts aux cheveux mouillés des filles qui roulaient la langue dans le bon sens en comptant les secondes. Je voyais Dario dans les rues, dans sa chambre, la salle de jeux, la cabine du disquaire, je voyais Dario m'attendre sur la place, et sans y penser j'ai fait glisser un doigt le long de son dos, lentement et précisément, j'ai senti ses reins se creuser, j'ai senti sa surprise et ses frissons, ça m'a fait sourire, et comme il ne disait rien, j'ai recommencé, avec tous mes doigts cette fois, ma main à plat contre ses épaules un peu maigres, sa peau de fils choyé, douce un peu laiteuse, il n'y avait plus de phrases dans ma tête, plus de voiliers ni de collines, il y avait juste l'attente de ce qui allait suivre et la conscience qui affleurait que j'étais en train de mener le jeu. Lui, a baissé la tête, ses cheveux sont venus le caresser et ça m'a rendue jalouse je crois bien. J'ai repoussé tout doucement ses cheveux, j'ai pris son visage dans mes mains, il était tellement disponible, tellement d'accord que ç'a été simple, et j'ai à peine posé mes lèvres sur les siennes. Enfin, on s'est regardés, de nos petits yeux plissés ; il a souri alors j'ai recommencé, un peu plus longtemps, bouche close, et j'ai compris qu'il avait besoin de ne plus être le garçon habile, le flirt autorisé, il avait envie d'être choyé et surpris. Je ne savais pas comment faire. Je n'avais pas envisagé qu'il se donnerait à moi, je n'avais aucune expérience, et j'essayais de me souvenir des gestes vus, lus, racontés, qui ne collaient pas forcément avec ce que j'avais envie de faire mais qui devaient sûrement être un peu nécessaires.

J'ai installé nos serviettes sous un pin parasol, un peu à l'ombre et cachés, et quand il m'a rejointe je me suis allongée contre lui, et nous n'avions plus peur.

Je ne pourrais pas aujourd'hui décrire précisément comment cela s'est passé, je mentirais si je le faisais et après tout qu'importe. Il s'est passé l'apprentissage du plaisir à deux, plein de bonne volonté et de maladresses, d'audaces un peu brusques, d'élans de tendresse qui nous rassuraient. Nous avions envie de bien faire et peur de ne pas être heureux. Nous étions neufs et vieux aussi, pleins de préjugés, de choses apprises, et si j'ignorais presque tout de la jouissance d'un homme, je savais que j'entrais dans un monde que je ne quitterais plus jamais. Ce monde-là, je le voulais. Il me disait que la vie allait cesser d'être raisonnable si prévisible.

Sur cette plage de Cassis l'été 76, nous sommes devenus différents des autres. Nous sommes devenus orgueilleux et fiers de nous.

Parfois me reviennent des éclats de ce jour-là et de ceux qui ont suivi. Parfois dans ma vie de femme, ma vie de détermination, surgit soudain une odeur, un bruit, parfois je me retourne dans la rue, pour rien, parfois le trac, l'attente, l'envie de retrouver ces années en équilibre, moi qui ai depuis appris la prudence. La méfiance. Appris à parer les coups, à les anticiper aussi.

Et si ce Dario de 50 ans que je vais retrouver les a apprises aussi, nous serons gênés pour la première fois, nous nous dirons Bonjour avec des propos convenus, nous méfiant des apparences, et guettant ce qu'elles cachent. Et si nous ne sommes pas gênés, nous aurons 50 ans, quand même. Des petites batailles plein le visage. Et tant de volonté.

Ce jour-là à Cassis, le goût de l'autre s'est mêlé aux jeux de lumière dans les arbres et sur la mer, aux bruits lointains des baigneurs dans les criques voisines, s'est mêlé à la chaleur poisseuse, et nous avons su que l'amour est une cachette. Tous auraient pu nous voir. Nous leur demeurions secrets. Et dans la cohue des villes, au milieu des copains, le flot des lycéens dans les cours, les fêtes, les manifs, nous étions deux invisibles, inséparables et sacrés.

Bien sûr la serveuse était partie avec Pierre et je n'ai pas mis longtemps à les retrouver, de l'autre côté de la route, ils faisaient du stop dans l'autre sens. J'ai arrêté ma voiture pour les rejoindre.

— Vous êtes sûr que l'Inde, c'est par là? j'ai demandé à Pierre.

Ça l'a fait rire. La fille beaucoup moins. Elle ressemblait à ces filles tristes depuis toujours, du genre de celles qui prennent des cours de danse parce qu'elles sont maigres et grignotent du bout des dents avec un air accablé des bâtons de vanille avec une mine faussement innocente qu'elles croient sexy. Elles n'ont pas appris leur visage ni leur corps, elles ne se supportent que de loin, se cachent dans des habits trop étroits ou trop lâches, des vêtements qui ne les accompagnent pas mais les encombrent ou les contraignent. Elles n'attendent rien et ne savent presque plus pleurer, sauf parfois de brusques sanglots pendant un film pour enfants, plus c'est naïf plus elles sont malheureuses, c'est soudain, fugace, et annonce de futurs désespoirs auxquels elles ne réchapperont pas.

— Vous allez où ? Je peux vous aider ?

— Vous êtes grave, hein ! m'a dit la fille, Jennifer.

Lui, m'a regardée tendrement, longuement, on aurait dit soudain qu'il avait 100 ans. Et qu'il acceptait cet âge. Il s'est penché un peu vers moi et il a chuchoté : « Tout est bien, madame. » Je lui ai souri et je suis remontée dans ma voiture, j'ai regardé une dernière fois ce garçon paisible aux discours décousus, sa lumière étrange, cette fille qui ne l'aimait pas, et puis je suis partie. J'ai pris la première entrée d'autoroute qui indiquait Marseille et l'Italie, et j'ai décidé que c'était vrai : tout était bien.

J'ai pris une chambre à Aix, avant d'aller voir Christine à Venelles, le lendemain. Ma petite ville provençale était devenue si riche et prospère à présent, consciente d'être « méridionale » et en jouant, et tout comme ces filles à qui on dit trop souvent qu'elles sont belles perdent leur fraîcheur, Aix était devenue orgueilleuse et narcissique.

Le disquaire avait disparu évidemment, et les petites vieilles n'avaient plus depuis longtemps de quoi se payer un appartement dans la vieille ville, réservée aux jeunes couples à l'aise financièrement, les vêtements de luxe avaient remplacé les magasins de tissu ou les drogueries, c'était la ville du Festival de musique et des parkings souterrains, la prison avait été déplacée plus loin, en rase campagne, il y avait des centres commerciaux sur les anciens champs de labour, Aix s'était étendue, la nature se déplaçait comme une mer qu'on assèche.

Cela me plaisait. Il n'y avait aucune place pour la nostalgie, aucun endroit qui ait gardé ma trace, et si la mémoire est désordonnée et inattendue, Aix à l'inverse était un lieu propre et organisé où plus rien n'était possible. J'étais bienheureuse soudain que Dario ait 50 ans. Que Dario ait traversé une vie, et que derrière nous les lieux ne soient plus jamais les mêmes. Nous avions eu le privilège de nous aimer dans une ville innocente qui a brûlé après notre départ, et nous la gardions en nous, sous la peau. Marqués en secret.

Je n'étais pas venue souvent voir Christine à Venelles, dans le foyer pour adultes handicapés qui l'avait accueillie quand j'avais quitté la maison. Elle avait 23 ans alors, et sans moi la croix qu'elle était pour notre mère est devenue aussi lourde que celle du Christ sur le chemin du Golgotha. Elle ne pouvait plus dire « mes filles », ma normalité ne pouvait plus masquer le handicap de Christine, et lorsque je suis partie, tout ce qu'elle avait évité de voir jusqu'alors lui a sauté à la figure. Car il ne suffisait pas comme elle se plaisait à le penser, de surveiller Christine, mais de l'aimer. Ce qui était parfois facile, et parfois demandait une patience que maman n'avait pas. Mes derniers mois à la maison, j'entendais de plus en plus souvent mon père évoquer « la fenêtre », et il n'attendait plus d'être seul avec maman dans la chambre pour le faire. Il y avait alors dans la façon dont il prononçait ce mot, un peu de la mine contrite et jouisseuse du maître face à l'esclave, on aurait dit qu'il la faisait chanter. Ça marchait à tous les coups. A tous les coups, elle avait peur. Elle avait honte.

Elle avait 20 ans. A-t-elle pensé se suicider, après la naissance de Christine ? A-t-elle pensé tuer le bébé ? Le chantage était en tout cas le seul pouvoir de mon père sur elle. Il n'avait jamais eu son amour. Leur union, une promesse faite à un mourant, n'a jamais eu de début, n'a jamais été « une histoire ». Ils n'étaient pas de ces parents qui racontent aux enfants comment ils se sont rencontrés, et comme leur mère au début, flirtait avec un autre, si, si ! Et il avait fallu la conquérir, et le grand-père n'était pas facile, il avait dû faire sa cour et y mettre tout son cœur. Ils étaient de ceux qui se regardent quarante ans après et voient dans l'autre le miroir de leur propre déroute, un fiasco irrattrapable que la mort soufflera comme une bougie malodorante.

Quelques mois après mon départ Christine a fait une dépression nerveuse, que mes parents ont d'abord qualifiée de « bouderie », puis de « tristesse passagère » et bientôt ça n'a plus été possible. Elle pleurait chaque jour, elle ne dormait plus et vomissait tout ce que ma mère lui cuisinait, effarée d'avoir pour fille cette mécanique incontrôlable, ce bâton de vieillesse qui la trahissait pour devenir un paquet de souffrances qu'elle ne parvenait même plus à offrir à Dieu. J'ai vu ma petite sœur oublier toutes nos années d'apprentissage, oublier les simples gestes et aussi les chansons, la joie et même les colères. Elle avait en son centre un petit animal féroce qui la grignotait de l'intérieur, aspirant chaque jour un peu

plus de son sang et de son âme. Elle se recroque-
villait, elle rétrécissait, et quand ma mère a commencé à lui donner des médicaments, je l'ai
emmenée dans ce foyer. Petit à petit elle a cessé
d'être cet être perdu, aspirant chaque heure de chaque jour la solitude de mes parents, elle a cessé d'être
leur pare-feu et son sourire trop grand est revenu, sa
grosse voix, sa gentillesse, et elle a vraiment appris à
écrire. Pour m'écrire. J'étais fière d'elle. Elle écrivait
« Mimile » en lettres bâtons, et « je t'aime » tout
attaché, parce que « je t'aime » en lettres bâtons,
disait-elle, c'est pour les fêtes des mères, pas pour
ceux qui s'aiment comme nous.

Je savais, lorsque ma voiture a pris le petit chemin
caillouteux qui mène au foyer « Les papillons
bleus », que voir Christine c'était forcément après,
rencontrer Dario. Etre de nouveau dans le Sud, dans
cette lumière rose du matin, cette luminosité crue,
c'était comme toucher l'air que j'avais respiré enfant
et adolescente.

J'étais émue de revoir la vieille bâtisse hors du
temps et des normes, comme ses habitants. Je
n'avais pas revu Christine depuis plusieurs années.
J'avais rythmé ma vie dans le mauvais tempo. Je
l'avais remplie de rendez-vous qui ne seraient
jamais aussi nécessaires qu'une heure passée avec
elle. Je la fuyais. En restant si proche de l'enfance
Christine me rappelait tout ce que je voulais
oublier, elle portait avec elle nos années en famille,

la jeunesse dans un corset d'ennui et de préceptes, les tentatives d'évasion par l'imaginaire et les mensonges minables, les échappées à peine, et l'attente, malgré tout l'espoir fou, qu'un jour ça change. Qu'un jour mon père et ma mère s'aiment et que nous soyons issues, elle et moi, de la beauté de leurs sentiments. Si seulement leurs regards avaient pu nous éclairer. Nous désirer. Il est étrange que l'on emploie le même mot pour un enfant que pour un amour, ni le désir d'enfant ni le désir de l'autre n'ont fait partie de notre vie. Nous sommes restés dans le devoir. Christine n'avait pas de rancune. Son chromosome en trop avait des capteurs de moments, il prenait les bons instants, il savait les reconnaître. Je crois que c'est parce qu'elle avait plus de mal que nous à marcher vite, à bien entendre et à voir parfaitement. Elle avait cette petite bulle de difficultés qui la forçait à la lenteur et alors elle voyait ce qu'il y avait tout au bord des routes et que nous frôlions avec indifférence.

Je n'avais pas annoncé ma visite. L'attente était souvent insupportable à Christine, l'excitation se muait en angoisse et la rendait parfois agressive. Je suis arrivée à la fin de la matinée, les petits déjeuners débarrassés il y avait encore dans les couloirs cette odeur de café au lait qui définit les matins des communautés. Les panetières en plastique sur les chariots en formica, les éponges dans les bassines abîmées et les chaises qui font du bruit sur le sol froid qui sent toujours un peu la Javel. Mais j'entendais déjà des bribes de leur vie, les appels des éducateurs, les échappées de musique à l'étage, le téléphone que personne ne décrochait.

Il m'a semblé qu'il y avait ce jour-là une agitation particulière. Chacun semblait avoir un but précis, aller vers quelque chose d'important. Christine était dans la salle des travaux manuels. Elle découpait des guirlandes de crépon rouge avec de gros ciseaux à bouts ronds qu'elle tenait en tirant un peu la langue, penchée sur la table, elle s'appliquait, et soudain, dans son dos qui s'arrondissait, ses seins lourds, ses cheveux gris si courts, ses lunettes épaisses, soudain j'ai vu que ma grande petite sœur était vieille. Elle ne chantait plus Mike Brant en tenant une corde à sauter. Elle ne se balançait pas en riant d'une voix grave. Elle était là, sérieuse et appliquée, et son corps n'avait plus de forme, il formait un bloc, j'ai vu les taches sur ses mains et les bas de contention sur ses jambes courtes, j'ai vu qu'elle avait 53 ans et qu'elle avait du mal à découper la guirlande. La fille à côté d'elle lui a dit quelque chose que je n'entendais pas en lui passant un tube de colle et Christine a lâché les ciseaux. Elle a relevé la tête et son rire a résonné dans la salle, son grand sourire fendu sur son visage si plat, elle a ri et la vieillesse l'a lâchée d'un coup. Puis elle s'est arrêtée net. Elle a repris les ciseaux, sa concentration, et j'ai demandé à l'éducateur de lui dire que j'étais là.

Son visage vers moi… Etonné. Ebahi. Comme sorti de l'eau. Elle a passé ses mains plusieurs fois sur ses hanches comme ces ménagères qui s'essuient toujours un peu avant de vous saluer, un geste mécanique pour cacher l'émoi. Elle ne bougeait pas. Elle me regardait et elle passait ses mains compulsivement sur ses hanches lourdes. Je suis allée à elle et je l'ai serrée dans mes bras longtemps, une éternité. Elle avait toujours son odeur un peu âcre de transpiration, son odeur d'écorce de mandarine, et celle de la laine aussi, qui me rassurait. Elle était massive, et fragile pourtant. Elle répétait en pleurant « On pleure pas hein Mimile on pleure pas ». Je faisais « non » avec la tête, mon visage enfoui dans son cou et je ne savais pas qui d'elle ou de moi, tremblait le plus.

Sortir dans le parc nous a fait du bien. Elle m'a expliqué qu'il y avait l'anniversaire de Mariette l'après-midi, c'était une pensionnaire qu'elle aimait beaucoup parce qu'elle lui rappelait moi.

— Elle te rappelle moi ?
— Elle te ressemble.
— Physiquement ?
— Hein ?
— Ma tête ressemble à la sienne, tu veux dire ?
— Ben non, t'es pas mongolienne Mimile.
— Alors pourquoi elle te fait penser à moi ?
— Elle veut toujours partir. Elle veut toujours, tu vois… toujours elle dit « viens Christine on va faire un tour ».

— Je suis comme ça moi ?

— T'es pas comme les parents, hein ?

— Ils viennent te voir un peu ?

— Oh non… Non.

— Tu te souviens quand tu es arrivée ici, ce que papa disait ?

— Non.

— Il en revenait pas que tu sois dans un foyer qui s'appelle « Les papillons bleus », tu te rappelles pas ? Il disait toujours « les papillons ne transportent aucune maladie, tu seras bien là-bas ».

— Non. Il disait pas ça. Il disait qu'on marche sur les papillons, on les voit pas on marche dessus, ça fait peur, je pense à ça, ça m'énerve.

— C'est l'hiver quand ils hibernent, ils se cachent sous la terre, tu leur marches pas dessus au contraire, quand tu marches sur la terre l'hiver tu leur fais des petits tremblements tu vois, tu les berces, les papillons qui dorment.

— On n'a plus de nouvelles de Ringo.

— Ringo, le mari de Sheila ? Non, on n'a plus de nouvelles.

— On n'a plus de nouvelles de Sheila non plus, hein ?

— Non, pas beaucoup.

— Alors tu vas rester ici ?

— Non je vais à Gênes, voir Dario… Tu te souviens de Dario ?

— Non.

— Ça fait trente ans que je l'ai pas vu.

— Oh tu vas pas le reconnaître, et lui il va pas te reconnaître, mets ton nom, mets la pancarte tu sais.

— Oh si je vais le reconnaître.

— Tu es maligne, hein Mimile !

Elle avait partagé mon enfance, et c'était un témoin presque sans mémoire. Je lui avais parlé chaque soir de Dario. On appelait ça : « l'histoire », elle la réclamait et l'écoutait comme un feuilleton radiophonique, ou un conte. Je n'inventais jamais. Je lui racontais ce qui s'était passé dans la journée. Si je l'avais vu, je lui disais comment on s'était attendus et où, comment il était habillé et combien il était beau, Dario la faisait rêver comme un prince charmant, un héros de cinéma. Je ne racontais pas l'intimité, je disais :

« Alors, quand il m'a vue arriver…

— Tu avais la jolie robe ?

— Oui j'avais la jolie robe, ne m'interromps pas…

— Demain tu mettras le jean ?

— Oui, on peut pas être habillé deux fois de suite pareil.

— Ah non.

— Quand il m'a vue arriver DANS MA JOLIE ROBE…

— Oui.

— Chut ! Il est venu vers moi, en marchant lentement comme ça, comme s'il commençait à danser

169

tout doucement, tout doucement sur le trottoir, et il
m'a embrassée.

— Sur la bouche ?

— Sur la bouche.

— Devant tout le monde ?

— Devant tout le monde.

— Mimile ?

— Oui ?

— Il est fou de toi.

Elle l'aimait tout autant que moi, à sa façon
intense et fugace parfois, mais aujourd'hui elle ne se
souvenait pas de lui. Elle ne pouvait rien m'en dire.
Elle restait ma petite sœur mais elle dérivait vers une
vieillesse précoce, ses années comptaient plus que les
miennes, toujours la vie lui avait été plus difficile,
elle devait s'appliquer pour les gestes les plus simples, et tout ce qu'elle a appris elle l'a appris avec
une foi profonde.

L'après-midi, nous avons fêté les 60 ans de
Mariette. Les guirlandes de crépon rouge décoraient
une petite estrade sur laquelle il y avait une banderole
où le « JOYEUX ANNIVERSAIRE » était peint en
vert et plus loin le nom de MARIETTE rajouté à la
craie bleue. Trente fois, au long de ces trente années,
on avait dû écrire CHRISTINE à la craie, et je
n'étais jamais là. Elle avait une nouvelle famille, avec
des amies qui me ressemblaient, disait-elle, et elle
vivait enfin entourée de patience.

Mariette était très petite, étonnamment menue, et ne cessait d'agiter la main comme une reine qui salue, en souriant de bonheur. Eux ne cessaient de lui répéter, dès qu'ils croisaient son regard « Joyeux anniversaire », exactement comme s'ils le lui disaient pour la première fois. Et elle le recevait comme tel. Elle agitait la main, ravie et surprise chaque fois. Christine était fière que je sois là, elle me présentait aux éducateurs, à ses amis, elle me prenait par le cou et disait « C'est ma sœur ! » avec un orgueil joyeux, et elle rajoutait « On est une équipe, hein Mimile ? ». Un pensionnaire m'a demandé si j'étais « sa sœur de Paris » puis il a dit qu'ils avaient vu la tour Eiffel l'année d'avant, ils étaient allés à Paris et il avait plu tout le temps et ils avaient beaucoup chanté dans le car et Christine n'était pas sortie de la chambre du foyer, et Christine n'avait rien vu que le périphérique et l'autoroute.

— Pourquoi tu m'as pas appelée ? Pourquoi tu m'as pas dit que tu étais à Paris, je serais venue te voir, tu serais venue chez moi ! Pourquoi tu as fait ça ?

— Je te fais de la peine ?

— Oui tu me fais beaucoup de peine.

— Ton mari, il est gentil ?

— Mais tu le connais Christine, c'est Marc, tu l'as déjà vu.

— Oui.

171

— On était venus te voir avec le taxi et il t'avait mis la cassette de Mike Brant, à fond sur le cours Mirabeau, tu te souviens ?

Elle a pris une grande inspiration, elle se concentrait sur ses souvenirs en me regardant de ses petits yeux myopes et elle a dit :

— Les vrais taxis ont un compteur.

— Ah oui ?

— Oui. Je le sais.

— Mais il t'a offert la course, c'était un cadeau parce que tu es ma sœur.

— Les vrais taxis ont des médailles.

— Des médailles ? Tu veux dire… sur le rétroviseur ?

— Oui. Des médailles. Et des croix même.

— Tu penses que mon mari est un faux taxi, c'est ça ?

— Non. C'est pas ça.

— Tu crois que je te connais pas ? Tu crois que je vois pas comme tu rumines, là ? Eh ! Dis-moi ce que tu as à me dire, d'accord ?

— Tu es maligne, tu es maligne !

— Oui c'est ça, toi aussi tu es maligne, alors dis-moi ce qui va pas avec le taxi de mon mari, allez vas-y !

— C'est pas le taxi qui va pas. C'est le mari.

— Mais tu es méchante là, tu me fais de la peine, tu te rends compte de ça, tu veux dire que tu n'es pas venue me voir à Paris parce que tu n'aimes pas mon mari ?

— Mimile. Je sens qu'on va s'énerver.

172

Ça oui, j'étais énervée. Elle avait le don de m'énerver. C'est fou la patience qu'il fallait avoir envers Christine, et c'est fou aussi comme je n'en n'avais plus l'habitude. Elle m'avait blessée. Avec sa franchise abrupte, ses raccourcis à l'emporte-pièce, et sa naïveté qui s'apparentait à une lucidité impitoyable.

Je suis sortie dans le parc. Je les ai laissés souhaiter à l'infini et en boucle le « joyeux anniversaire » de Mariette. J'en avais assez de leur bonheur facile, de leur joie simple. Je n'avais plus le recul d'une adulte, Christine m'avait blessée d'un mot, comme lorsqu'on est enfant et que notre attente est déçue. Mais qu'est-ce que je croyais ? Que j'étais le sauveur de Christine, qu'elle m'attendait pour être heureuse ? Je n'étais plus depuis longtemps sa référence et son idole, elle me REGARDAIT, voilà la vérité, elle nous avait regardés Marc et moi, alors que nous pensions naïvement l'épater avec un petit tour de taxi sur le cours Mirabeau, elle nous évaluait, et le couple que nous formions n'était pas à son goût.

J'ai demandé une cigarette à l'animatrice qui fumait, assise sur les marches, un verre de mousseux à la main. Cela faisait des années que je n'avais pas fumé.

— Vous êtes la sœur de Christine ?

— Hum.

— Ça lui fait plaisir que vous soyez là.

173

— J'imagine que les visites font toujours plaisir, non ?

— Non.

Il y avait dans le parc des pensionnaires qui ne participaient pas à la fête, ils étaient comme posés à côté et marchaient seuls, la tête un peu baissée, les mains derrière le dos ou bien les bras totalement relâchés le long du corps comme s'ils s'apprêtaient à se laisser tomber de tout leur long.

— Je trouve qu'elle va bien Christine, hein ? j'ai dit.

— C'est par périodes… Parfois elle est… elle s'absente un peu, elle est un peu… bluesy, vous voyez ? Il faut la stimuler.

— Ça revient souvent, ces périodes ?

— Deux, trois fois par an, mais on est vigilants.

— Vous pouvez m'appeler quand même dans ces cas-là, pourquoi vous m'appelez pas ?

— Vous êtes loin, vous êtes à Paris, c'est ça ?

— C'est ça.

Je me suis levée et je suis allée marcher dans le parc moi aussi, faire comme les marcheurs isolés : m'abstraire. L'odeur des cyprès était presque sucrée, c'était l'odeur des grandes allées et des cimetières, l'odeur des parties de cache-cache, enfants, des pique-niques avec la couverture posée sur les épines de pin et les sandwichs au jambon qui attiraient les guêpes et que nous mangions en sautillant d'une jambe sur l'autre en poussant de petits cris aigus. « Ferme la bouche ! Ferme donc la bouche ! » hurlait maman. Petite, elle avait perdu son chien qui avait avalé une guêpe et était mort d'asphyxie après qu'elle l'ait piqué à la gorge. Mais comment manger un sandwich la bouche fermée, je n'ai jamais su !

Il faut bien l'avouer, j'étais déçue de ma visite à Christine et cette déception m'en faisait appréhender une autre : qu'allait-il réellement se passer lorsque je reverrais Dario ? Etait-ce vraiment lui, était-ce Dario Contadino qui avait passé cette annonce ? Revenir sur les lieux de mon enfance était juste une façon violente de comprendre que tout ce que j'avais vécu avait disparu, tout ce que j'avais vécu était mental et faux, n'était pas la réalité de ceux avec qui j'avais habité, ceux avec qui je m'étais levée chaque matin, avec qui j'avais partagé tant et tant de repas, de soi- rées, de départs en vacances, à qui j'avais montré mes bulletins scolaires, mes étoiles au ski, mes bre- vets de natation, à qui j'avais récité des poèmes et des formules mathématiques le soir dans la cuisine parce que le lendemain j'avais un contrôle, parce que le lendemain il faudrait en rendre compte, parce que le lendemain je serais encore dépendante d'eux, dépendante pour manger, boire et m'habiller, pour sortir, avoir des amis, des loisirs, des passions, et sou- dain plus rien, soudain deux vieux dans une maison de retraite qui ne savaient plus les prénoms de mes filles mais se désolaient qu'elles ne soient tou- jours pas mariées et que je ne sois pas encore grand-mère à mon âge, cela tardait, on prenait un sacré retard sur les convenances, on changeait de camp, on trahissait le clan en en enfreignant les règles les plus élémentaires.

Comment est-ce que Dario pensait à moi ? Qu'avait-il retenu, qu'était-il resté de cet amour sans paroles, cette union d'avant les mots, ce premier amour du monde ? Comment se parler aujourd'hui nous qui nous comprenions dans le silence, nous n'allions pas faire de nouveau l'amour ensemble, alors quel pourrait être notre dialogue, et de quoi parler et à quoi bon ?

— La fête commence, Mimile !

Christine est venue me chercher, elle avait un ridicule petit chapeau pointu en carton sur la tête… ah oui… la fête avait commencé. Elle m'a pris par le cou et souriait de fierté, souriait tout le temps en regardant le ciel, les arbres, les chats couchés dans le bassin vide, le vieux pensionnaire endormi sur le banc et la revue de bricolage à ses pieds. Mais elle marchait lentement, comme une vieille femme, ses hanches étaient grippées, ses os presque soudés les uns aux autres, elle était faite d'un seul pan, comme taillée dans une pièce de bois brut. Elle ne me parlait pas, elle respirait difficilement, elle faisait le même petit bruit que trente ans auparavant quand elle pensait faire du play-back mais que toujours un petit filet de voix sortait de sa gorge, un grésillement incontrôlable. Alors soudain je l'ai embrassée. Je lui ai plaqué un énorme baiser sur la joue et comme elle était essoufflée, et émue aussi, elle a juste dit « Grosse bêtasse ! » et elle n'a plus souri. Elle hochait un peu la tête et son chapeau pointu est tombé sur son front. On aurait dit que j'enlaçais un rhinocéros.

« Joyeux anniversaire Mariette ! » elle a lancé péniblement lorsqu'on est arrivées. « Avec ma sœur on va faire notre numéro ! » elle a dit, et elle m'a entraînée sur la petite estrade. Tous nous ont applaudies, je les regardais avec effarement, un éducateur a posé devant nous un micro qui sifflait, et Christine m'a dit en désignant un écran : « C'est fini le play-back Mimile, maintenant c'est le karaoké. » Et devant nous il y avait des dizaines de faces réjouies et étonnées, levées vers l'estrade avec bonheur. Christine m'a donné un coup dans les côtes, ainsi qu'elle avait toujours su si bien le faire, et ça a commencé tout de suite, j'ai entendu les premières notes de l'orchestre, et sans préavis Christine s'est lancée, elle a chanté terriblement faux les premières paroles de sa chanson préférée à savoir : « C'est ma prièèèère ! » en plissant les yeux vers l'écran où défilaient les paroles. Je suis venue à sa rescousse très vite, essayant de chanter plus fort qu'elle pour ne pas être totalement brouillée par la façon incroyablement fausse qu'elle avait d'attaquer dans les basses et sur une seule note, « Entends ma voix ah ah ! C'est ma prièèèère ! Je viens vers toi ah ah ». Deux notes d'orchestre, pendant lesquelles elle m'a jeté un regard totalement ébahi, et galvanisée elle a décidé d'offrir à tous le duo du siècle et de chanter plus fort que moi, elle entendait mal et n'avait pas conscience de hurler. On a enchaîné, sacrément en retard déjà sur l'orchestration : « C'est ma prièèère un jour viendra aha ah, c'est ma prièèère et le monde changera. » Déjà j'étais essoufflée, je sentais que non seulement on chantait mal, on avait du retard, mais surtout que Christine était en train de se souvenir exactement de ce que faisait Mike Brant quand il chantait. Mike Brant, quand il chantait, avait toujours l'air de souffrir un peu. Il renversait la tête en arrière, ou sur le côté, et grimaçait en fermant les yeux. Aussi quand il les rouvrait pour regarder les filles en face, il avait toujours un peu l'air de se réveiller et il souriait comme un ange, les filles savaient alors que l'amour venait de sauver ce garçon gaulé comme un Dieu et qui venait d'un pays d'espoir. Pendant qu'elle se renversait en grimaçant, évidemment Christine ne pouvait pas lire les paroles sur l'écran, et sa mémoire lui a joué des tours, tandis que je chantais : « Un nouveau jour sur la terre, nous portera la lumière », elle en était déjà à « Entends ma voix ahah », ce que je répétais donc après elle, et tandis qu'elle gueulait « reste près de moi ah » je tentais un « et le soleil brillera », et comme nous chantions en canon, Christine a décidé de se la jouer perso, il est vrai qu'il était impossible d'imiter vraiment Mike Brant sans avoir le micro à la main, il n'y avait pas de corde à sauter dans les parages, alors elle a pris le micro sur pied, me laissant entonner dans le vide et avec un courage de plus en plus chancelant « Reste près de moi ». Sur l'écran les paroles semblaient toujours les mêmes et je perdais le fil, ce qui n'avait pas grande importance, car qui m'entendait ? Christine rugissait littéralement « Sur un monde sans frontièèère ! », et la salle ne regardait plus qu'elle. Elle balançait sa main libre exactement comme Mike Brant le faisait, se mordait un peu les lèvres comme lui, bougeait une jambe pareil, elle avait rajeuni d'un coup. Je connaissais suffisamment son mauvais caractère pour ne pas la laisser faire son numéro toute seule, ce qu'elle m'aurait reproché violemment je le savais, tout ce qui me restait donc à faire était de la soutenir et de l'aider de mon mieux, je me balançais alors doucement à ses côtés, la regardant dans les yeux comme faisaient Stone et Charden, apparemment ça lui convenait, elle faisait ses petits hochements de tête comme si elle voulait gratter son cou avec son col, comme le faisait Mike Brant, je faisais « lalala » dans le ton, elle ne le suivait toujours pas, et quand la chanson a été finie, elle s'est souvenue aussi que Mike Brant sortait de scène à reculons, je l'ai rattrapée de justesse quand elle s'est pris les pieds dans le fil du micro, j'ai remis en place son chapeau pointu et on a salué main dans ma main comme les grands artistes, j'étais en sueur, épuisée comme si j'avais couru après Christine non pas pendant trois minutes mais pendant trois heures. La salle applaudissait à tout rompre, certains criaient « bravo Christine », mais grâce à Dieu, ils ne connaissaient pas le *bis*, et il n'y a pas eu de rappel.

— Tu n'as pas très bien chanté, elle a eu le culot de me dire.

— Ah non, pourquoi ?

— Mike Brant, Mimile, il disait pas « lumière ».

— Ah non ? Et qu'est-ce qu'il disait, s'il te plaît ?

— Il disait « lOUmière ». N'oublie pas qu'il était muet.

Et elle est descendue dans la salle recueillir tous les compliments auxquels elle avait droit.

— C'est injuste, hein ? m'a soufflé une voix derrière moi.

Je me suis retournée : Zoé me souriait, fière de sa surprise, et tout s'est mélangé : la joie de la retrouver, la peur qu'elle ait assisté au duo, l'étonnement de la voir ici, les époques et les lieux se télescopaient dans un raccourci étourdissant, ne manquaient plus que Dario et mes parents et je n'aurais plus su dire l'âge que j'avais alors. Je l'ai serrée dans mes bras en lui murmurant des « mon bébé mon bébé mon bébé » convulsifs et jaloux, elle sentait la vanille j'avais envie de la dévorer, l'engloutir, la garder toujours contre moi, surprise moi-même par la force avec laquelle je la tenais, par cet élan passionnel, surprise aussi qu'elle m'ait tant manqué et que je ne m'en sois pas aperçue. Elle ne s'est pas défendue au contraire, elle est redevenue mon enfant dans la seconde, sans âge et sans pudeur, juste ce besoin physique presque douloureux de se tenir soudées, de se confondre comme lorsqu'elle tenait tout entière dans mes bras. Notre étreinte était bien plus impudique que notre lamentable karaoké avec Christine mais je me fichais bien qu'on nous voie ainsi, toutes deux enlacées sur l'estrade, que tous puissent assister au câlin. On s'est rechargées ainsi l'une à l'autre pendant un certain temps, le karaoké du « Lundi au soleil » n'attendait plus que notre départ pour commencer, je soupçonnais Christine d'être le principal DJ de cette fête.

Nous avons quitté « Les papillons bleus ». J'ai préféré dire au revoir à Christine pendant qu'elle était heureuse et accaparée, et j'ai gardé cette image d'elle en équilibre, car toujours la joie trop grande pouvait la faire basculer dans la nervosité et les pleurs. Les émotions fortes étaient voisines, le rire côtoyait la panique.

Zoé et moi avons marché un peu dans Aix, lentement, main dans la main, sans plus nous parler, nous accordant ce moment sans âge où je pouvais croire qu'elle était encore une enfant à qui je donnais la main, tout en aimant l'adulte qu'elle était devenue, cette jolie fille sur laquelle les garçons se retournaient. Elle m'accordait un peu de son enfance, mais tous autour me signifiaient qu'elle était cette grande personne pouvant m'échapper dans l'instant. Je retrouvais avec elle un peu de la nonchalance de ma ville, car je m'y promenais à présent sans plus rien y guetter, aucun signe du passé, comblée par le présent. Et si l'annonce de Dario, mais était-ce Dario, n'avait servi qu'à cela : marcher main dans la main dans les rues avec Zoé, ce voyage n'aurait pas été vain. J'étais si bien ainsi, si confiante sans plus de souci, sans tracas, pour un peu j'aurais cru que c'était moi, la petite. Je ne décidais rien, je n'avais pas de but précis, je retrouvais les fontaines, la mousse sur la margelle, l'eau salie tout autour, les fientes des pigeons, avec le même étonnement que si je les découvrais, j'en sentais et la poésie et la saleté, la ville s'était bâtie autour de ces fontaines dont l'eau devenait inutile simplement décorative, à peine un rafraîchissement du visage en été.

J'appris que Zoé venait souvent à Aix. Et que ma ville vive encore après moi, dans le regard de ma fille et sans que je sois là, rendait plus aigu encore ce sentiment d'éphémère, une ville nous appartient sans mourir avec nous, un enfant est à nous, nous en parlons au possessif, mais que sait-elle de ce que nous lui avons donné, sans les photos, les récits, elle s'inventerait sans peine une enfance dont nous serions absents.

J'étais fière de marcher ainsi dans la ville avec Zoé, mais je demeurais cette mère dont une main serait toujours libre : je n'avais pas vu mes trois filles ensemble depuis si longtemps ! Je n'avais pas été par les rues avec elles trois depuis tant d'années. Je les voyais les unes après les autres, les unes à part des autres, et cet émiettement de la maternité était une douleur plus grande que je n'aurais osé le dire. Les réunir devenait de plus en plus difficile et toujours il y avait ce décalage dans nos rencontres. Elles se voyaient sans moi, et me téléphonaient alors, pour me faire plaisir, me faire un petit coucou comme elles disaient, et ces coups de fil étaient empreints d'une bonne humeur forcée, un peu comme les « joyeux anniversaire » de Mariette. J'avais le cafard lorsque je raccrochais. Je me retrouvais démunie, un peu désorientée, et l'éloignement d'avec Marc devenait plus évident. Nous avions été liés par le désir d'enfant, puis par les enfants, leur absence nous plaçait dans un monde inconnu, celui du tête-à-tête permanent, et nous parlions d'elles quand nous ne savions plus quoi nous dire. Nos trois filles nous liaient ensemble, sans elle nous étions distendus.

Nous sommes allées au cloître de la cathédrale Saint-Sauveur. Nous nous sommes assises sur la pierre fraîche, si lisse, dans l'odeur un peu âcre du jardin, et le lieu nous forçait au chuchotement. Je me souvenais du cloître le soir en été, les concerts de piano, l'intensité et la violence avec lesquelles la musique prenait possession de cet espace voué au silence. La vie passait en force.

— Tu vas souvent voir Christine ? je demandais tout bas à Zoé.

— Une fois par mois. Sans me poser de questions, presque par obligation, comme on va à la gym ou chez le psy, je me fais une séance mensuelle de Christine, et même si j'ai la flemme, je sais que je suis mieux après qu'avant !

— Tu penses que je suis défaillante ?

— Je pense que tu es à 800 kilomètres, c'est tout ce que je pense, maman.

— Mais quand même... tu vas mieux après qu'avant... Donc, tu y vas pour ne pas te sentir coupable. Comme moi.

— Tu devrais profiter du lieu pour foncer au confessionnal !

Nous avons ri et nos rires retenus ressemblaient à ceux des pensionnaires complices. Des touristes en short prenaient le cloître en photo puis repartaient, et aussitôt d'autres les remplaçaient, avec à peu près le même short, et exactement les mêmes photos. Le monde est plein de gens mal habillés qui se baladent en vitesse. Zoé a continué en chuchotant :

— Je savais que tu serais là aujourd'hui tu me l'as dit au téléphone, j'ai avancé ma visite de quelques jours... Je voulais te voir et que tu me dises pourquoi tu as plaqué papa le soir de votre anniversaire.

— Ah ! Pourquoi est-ce que j'ai plaqué papa ! Je n'ai pas plaqué papa, j'ai lu une annonce dans le journal... Non. J'ai... J'ai voulu déboucher une bouteille de vin, ton père avait ramené ce Pommard, emballé dans le journal et c'est là que j'ai lu l'annonce.

Elle m'a regardée avec le même air catastrophé que l'enfant qui comprend soudain que sa mère a une dégénérescence cérébrale. Elle faisait un effort terrible pour formuler les questions qui lui brûlaient les lèvres, consciente que le terrain était miné et que

185

ma réponse l'accablerait encore plus si c'était possible. J'ai voulu lui faciliter la tâche.

— Je vais retrouver le seul homme que j'aie jamais aimé.

Elle s'est levée et elle est sortie. J'aurais fait pareil à sa place.

Dario a quitté la France peu de temps après Cassis. A la rentrée de septembre, il est reparti pour Gênes. Nous n'étions finalement que deux enfants dépendants des déplacements de nos parents, la réalité était banale. Nous nous sommes dit au revoir un matin de septembre qui sentait déjà un autre temps, notre histoire basculait d'un coup dans le passé et nous n'avons échafaudé aucun plan irréalisable, nous n'avons pas fait des promesses que nous n'aurions pu tenir. Nous nous sommes dit au revoir un peu pressés, un peu gênés, tristes à en crever, et je me souviens de chaque détail de cette séparation, chaque détail idiot et sans importance est resté gravé. Le col de la chemise de Dario dont un côté n'était pas sorti de sous son pull vert clair, son petit bouton d'acné sur la tempe gauche, et aussi l'aboiement répétitif d'un chien dans une villa isolée, qui couvrait nos paroles. Nos adieux n'avaient rien de romantique, nous nous tenions dans la pinède devant chez lui, à la porte déjà. A l'intérieur la salle de jeux était vide, et sa chambre, et la cuisine aux odeurs de chocolat. Une voisine est passée, pour le courrier, elle voulait

187

aider, elle le ferait suivre disait-elle à Dario, et dans la façon qu'elle avait de nous regarder, on voyait bien que nous la faisions marrer, deux ados qui se quittent après un flirt. Ça lui rappelait de vagues souvenirs, le fils du boulanger peut-être qu'elle avait aimé en vacances à la campagne, ou le plagiste de Trouville, toutes ces histoires à l'exotisme estival, ces futurs cancanages entre copines accompagnés de rires sous cape et de confidences salaces. Et le chien aboyait toujours, nous devions répéter nos pauvres mots, et quand nous nous sommes tus, serrés avec force l'un contre l'autre, le chien aboyait toujours et notre silence était plein de lui, nos pensées brouillées et notre peine un peu ridicule.

Et puis bien sûr sa mère l'a appelé, avec des mots gentils, des mots que je ne lui dirais jamais « mon cœur » « mon petit ange » « Dario mon chéri, tu es où ? », et le vent s'était levé, il faisait presque froid, les nuages se baladaient au-dessus de nous, on aurait dit que les lumières s'éteignaient doucement, avec nonchalance, plus rien n'avait vraiment d'importance, ni de beauté. J'ai respiré tant que j'ai pu son odeur de cannelle, et aussi celle de sa crème car il s'était rasé ce matin-là, peut-être pour moi, peut-être pour nos derniers baisers, j'aurais préféré qu'il ne le fasse pas, j'aurais préféré que son menton me pique un peu et abîme le mien, y laisse quelques rougeurs, une trace légère. J'ai regardé la couleur de ses yeux qui changeait si souvent, se mariant à la lumière, s'accordant si bien au ciel immaculé de la Provence, un bleu que je n'aurais jamais su nommer. Je sentais son cœur, ou peut-être le mien, deux oisillons qui se débattent, et puis il a poussé un grognement, un son de gorge, il a sangloté comme ça en une seule fois, et puis il est parti, un peu courbé, se tenant mal pour la première fois, mal à l'aise dans son corps, trébuchant sur un caillou mais ne tombant pas, se redressant, et puis plus rien. Le vert de son pull qui s'éloigne et le cri joyeux de sa mère, les portes qui claquent, le moteur de la voiture qui démarre et qui s'éloigne.

Je suis restée dans cette pinède, à quelques kilomètres d'Aix. Le vent soulevait des feuilles mortes, le chien s'était calmé. Ou bien on l'avait rentré. Ou on l'avait battu. Je m'en fichais. Je suis restée comme ça et j'ai compris que la vie allait être longue. Et qu'il fallait que je fasse semblant de m'y intéresser. Que je trouve des hobbies, que je fasse des voyages, que je m'occupe. Je ne savais pas que trente ans après m'avoir quittée en trébuchant dans cette pinède, Dario Contadino me rappellerait. Comme si trente ans auparavant, ce jour de septembre, au lieu de monter dans la voiture puis de claquer la portière, il s'était arrêté, la main sur la poignée, pour crier mon nom.

J'ai cherché longtemps Zoé dans Aix, avec la certitude qu'elle n'avait pas quitté la ville. Elle voulait que je la cherche, que je lui donne mon temps, encore. La maternité toujours mariée à la culpabilité, je marchais dans les rues en me disant que je lui avais fait de la peine inutilement, me disant la même chose que lorsque je l'avais punie mal à propos, ou que j'étais en retard au spectacle de l'école, ou que le frigidaire était vide, la viande mal cuite, toujours il y avait cette image de la mère omnipotente : nourrir, soigner, consoler, comprendre et pardonner. Peut-être Zoé n'avait-elle quitté le cloître que dans le but de vérifier que j'étais encore au point, je pouvais réintégrer dans la seconde toutes les fonctions de la maternité, un peu fatiguée et totalement aimante.

Je la cherchais dans Aix et je revoyais ma propre mère, qui m'avait confiée Christine comme on passe le relais. Elle était demeurée à jamais la fille de Dieu le père, faussement protégée, effrayée des surgissements de la vie. Les surprises étaient toujours mauvaises et la joie un devoir. Mais un jour que j'étais avec mon amie France, je l'avais vue, à son insu.

J'avais 13 ans à l'époque. Au rayon maquillage du Monoprix nous tentions France et moi de voler un peu de rimmel, nous parfumer gratis et essayer les couleurs pastel et les rouges à lèvres que nous ne pouvions ni nous payer ni porter de toute façon. C'est la voix de maman que j'ai entendue d'abord. Elle disait « C'est un peu clair, non ? », avec un ton nouveau, un peu timide et gourmand. Je tournai le visage vers elle : elle avait passé la main dans un collant couleur chair et guettait la réaction de la vendeuse une femme fatiguée et indifférente, qui avait sur le visage plus de maquillage qu'aucun présentoir ne pourrait jamais en contenir.

— Ça dépend pourquoi, elle a répondu à ma mère, histoire de montrer son implication démesurée dans la vente des collants.

— Je veux dire... vous ne trouvez pas que c'est un peu clair... pour une fête ?

Je me demandais bien de quelle fête ma mère pouvait parler, nous n'allions jamais à aucune fête. Un baptême ou un enterrement constituaient chez nous des évènements majeurs. Quant aux mariages nous y étions rarement invités, notre étrange famille faisait un peu peur, Christine avait la joie trop démonstrative et mon père était le genre de danseur à vous réduire les orteils en pâtée pour chats. Ma mère a continué d'une petite voix mal assurée :

— Je veux dire... le noir... c'est plus chic, non ?

— Vous avez raison, le noir c'est chic.

— Mais à mon âge, le noir… c'est pas un peu… déplacé ?

La vendeuse a écarquillé les yeux, ses faux cils se sont pris un instant dans ses cils, elle ressemblait à une marionnette expressionniste.

— Déplacé comment ?

Ma mère a baissé la voix, j'ai fait un effort pour entendre, tout en faisant taire France qui avait trouvé un parfum hyper sensuel.

— Je veux dire : le noir à mon âge, ça fait pas un peu « femme fatale » ?

La vendeuse a eu une grimace douloureuse qui a fait déborder son rouge à lèvres orange sur ses dents du haut. Elle a poussé un gros soupir. Ma mère regardait maintenant son poing recouvert des collants couleur chair, et elle a dit :

— Je vais réfléchir.

Phrase qui signifiait « je ne prends rien mais je n'ose pas le dire ».

— C'est ta mère ! m'a soufflé France, comme une révélation.

— Ta gueule ! j'ai fait, curieuse de connaître la suite.

La vendeuse est partie en hochant la tête. Ma mère regardait toujours sa main. Lentement elle a écarté les doigts, et elle les a regardés, comme S'ils étaient tout neufs et qu'elle allait les acheter. Elle souriait en regardant sa main, mais quand madame Manard, notre voisine du dessus s'est pointée avec son filet à provisions et sa silhouette tremblante, ma mère a aussitôt retiré sa main du collant et a dit :

— C'est un achat inutile.

— Vous avez raison madame Beaulieu, les bas de laine font plus longtemps.

— Oui c'est vrai… a dit ma mère à regret.

— Et ils sont plus chauds.

— Oui…

— Vous allez à la réunion des colocataires, demain soir ? On doit parler de ce problème de minuterie, quel problème hein !

Ma mère a fait « oui » de la tête, et l'autre a enchaîné sur les charges et les poubelles, France m'a tirée par la manche et on est sorties, elle avait l'air trop innocente pour n'avoir rien volé.

Je ne savais pas ce qu'était une « femme fatale », et encore moins pourquoi le noir était leur couleur. La fatalité de toute façon allait bien à ma mère, et long-temps j'ai cru qu'une femme fatale était une femme accablée. Mais un jour que ma mère revenait de l'enterrement du père Gallard, l'ancien curé de Saint-Jean de Malte, et alors qu'elle se déshabillait lente-ment dans sa chambre remettant précieusement dans la commode le foulard, le cardigan, la jupe noirs, depuis le seuil je lui dis gentiment, histoire d'apaiser un peu sa peine, et aussi parce qu'elle avait réelle-ment l'air plus accablé que jamais :

— Tu as raison maman, range tout ça, je ne veux plus jamais que tu aies l'air d'une femme fatale.

Elle s'est tournée vers moi, aussi surprise que si le curé venait de ressusciter, et elle a dit avec difficulté :

— Tu as dit QUOI, Emilie ?

— Tu l'aimais beaucoup hein, le père Gallard ?

— Mais… Mais qu'est-ce que tu insinues ?

— Ben… Rien… Tu étais très chic, en tout cas… Mais… Un peu trop… femme fatale… quand même…

Elle a fait « Oh ! Oh ! Oh mon Dieu ! Mon Dieu ! » en se tenant le visage, et elle s'est assise sur son lit, Christine nous a rejointes et l'a regardée avec étonnement.

— Qu'est-ce qu'elle a ? elle m'a demandé.

J'ai haussé les épaules, je n'osais plus rien dire. Ma mère s'est relevée, s'est approchée de moi, son visage était devenu tout petit et elle m'a dit, droit dans les yeux :

— Encore UNE réflexion de ce genre, et je t'inscris dans le privé !

Elle retrouvait sa dignité et sa sécheresse de cœur et a hurlé au moment où je rentrais dans ma chambre :

— Et je t'interdis de retourner au cinéma !!!!

Sa porte a claqué, la discussion était close.

— J'aime mieux quand elle va aux baptêmes, a dit Christine en tirant méchamment les cheveux de sa Barbie.

J'avais un chagrin immense, un chagrin d'injustice et de regret. J'avais vu ma mère au Monoprix, ridicule et décalée, pourtant c'est à ce moment-là que j'aurais eu envie de la rejoindre, et nous aurions choisi ensemble des collants chers, noirs, inutiles, et rêvé à toutes ces fêtes où nous n'irions jamais.

Zoé s'était tout simplement assise sur un banc du cours Mirabeau. Elle a eu le culot de m'en vouloir d'avoir mis du temps à la retrouver, et surtout de ne pas avoir mon portable avec moi, ce qui était une preuve supplémentaire paraît-il, du mal que je voulais faire à son père. J'ai tenté de dévier la conversation sur ses projets, le fait qu'elle abandonne la vente des bijoux fantaisie à Marseille, et quittait-elle aussi cet homme un peu rustre, se rapprochait-elle enfin de Paris, toutes ces questions auxquelles elle a répondu par un « laissons de côté le superflu », sans appel. Elle était là pour comprendre, et même si elle ne pouvait accepter la vérité qu'à doses fragmentées, toujours elle revenait à la charge. Elle me faisait penser à ces femmes trompées qui hurlent des « Je ne veux pas savoir ! » avant d'exiger TOUS les détails et de s'en repaître jusqu'à ce que l'idée du suicide soit tout à fait claire dans leur tête.

Je l'ai invitée à dîner, et j'ai assumé mon rôle de mère indigne en commandant du vin que je lui servais à intervalles réguliers et sans faillir. Au bout de trois verres elle était détendue au point de comparer sa vie à un reportage télé sur le désœuvrement des provinciaux en zone piétonne, c'était ennuyeux, pas cher et sans danger. Aussi avait-elle décidé de partir au Congo, s'occuper des bébés bonobos.

— Les bébés bonobos ?

— Je vais les caresser.

— Pardon ? Tu vas caresser des bébés... avec une gueule énorme et... et des poils partout ?

— C'est là que tu te trompes maman, on voit que tu ne connais pas le dossier. Je vais faire repousser les poils des bébés bonobos. Tu comprends ?

— Rien.

— Arrête de boire et concentre-toi : je vais au Congo dans une réserve où on recueille les bébés bonobos dont les chasseurs ont tué les mères, je vais les caresser, les nourrir, leur parler, jusqu'à ce qu'ils sortent de leur dépression profonde, se couvrent enfin de poils, et survivent.

La vie est surprenante. Ma fille aînée est surprenante. Je lui demandais de me ramener des tissus colorés et de faire attention aux guerres civiles. Elle me dit de lui rapporter de Gênes une histoire vraie.

Le lendemain à midi, j'avais quitté la France, j'étais en Italie.

J'ai passé la frontière, qui n'en était plus une, et je regrettais un moment cette absence de solennité, j'aurais aimé que l'Italie m'accueille après m'avoir réellement acceptée, qu'un douanier me crie « Avanti ! » en me désignant son pays d'une main ouverte.

Les tunnels, jusqu'à l'étourdissement. Pour tenir je tentais d'en faire le compte à rebours, puis abandonnais au bout d'une trentaine, tant j'étais découragée. Je suivais les feux arrière des camions, un peu de Méditerranée puis un tunnel, encore et encore, une alternance de jour et de nuit comme si soudain la vie défilait à une vitesse accélérée, battue comme un jeu de cartes, ou les images heurtées des premiers films de cinéma.

Je remontais le temps. Tant de fois j'avais rêvé de cette maison sur les hauteurs de Gênes, dont Dario m'avait montré des photos, et aussi des dessins, des pastels qu'avait peints un oncle à lui. L'adresse même me faisait rêver, je me souviens : « La Florida. Via Pescia ». Cette adresse n'était pas précisée dans l'annonce et je reconnaissais bien là Dario, pour qui l'évidence remplaçait toujours la précision, Dario qui pensait naturellement que son prénom à côté de celui de sa ville était bien suffisant pour que je le retrouve. Et il avait raison.

Je ne savais plus où étaient mes souvenirs, ma vie était un puzzle dont je n'arrivais pas à reconstituer le thème, j'avais retrouvé Aix et mes lieux d'enfance, mes émotions premières et la lumière si franche qui avait accompagné tous ces matins d'alors, l'illusion dans laquelle j'étais enfant que partout le monde serait semblable à celui-là, partout mes paysages seraient éclairés avec un soleil puissant, des senteurs, des collines et la mer jamais bien loin, la possibilité d'aller voir la mer toujours. Cette proximité constante de la Méditerranée, comment aurais-je pu savoir que c'était le premier cadeau que la vie me faisait et qu'il y en aurait si peu après de cette valeur-là ? Je m'étais réveillée chaque matin dans le beau. Et je ne le savais pas. Je m'étais endormie chaque soir avec les « Je t'aime Mimile » de ma sœur, et je lui avais juste demandé de parler moins fort. Je venais de retrouver ma fille aînée, qui ne savait plus à qui donner sa tendresse, qui pensait qu'elle ne pouvait consoler que des singes alors qu'un seul de ses regards aurait pu guérir le plus désespéré des hommes. J'avais laissé sans remords l'homme avec lequel j'avais partagé vingt-cinq années et plus de sept mille nuits. J'étais partie sans me retourner et qu'avais-je jamais fait d'autre qu'avancer sans faillir, et confondre mes souvenirs avec la nostalgie, mes chagrins avec l'attendrissement, et la paresse avec le temps perdu ?

J'avais quitté la France et passé une frontière qui n'existait plus et j'entrais en Italie comme au cœur de moi-même, comme si cet homme qui m'attendait pour je ne savais quelle raison, détenait Emilie Beaulieu intacte, pas fatiguée encore, si peu multiple et dispersée, une adolescente occupée à rien d'autre qu'elle-même, et qui marchait dans le monde en souriant et avec une si haute opinion de la vie.

Etre en Italie me déchargeait de toutes mes anciennes obligations. Je savais que Zoé téléphonerait à Marc et lui rapporterait notre conversation et peut-être était-ce la lâcheté qui m'avait poussée à faire à ma fille les confidences que je n'avais pas osé faire à son père. Je ne valais pas mieux que tous ces parents qui utilisent leur enfant comme un médiateur ou un messager. Mais maintenant que j'étais à Gênes, au diable la culpabilité. J'allais retrouver Dario, dans sa villa La Florida et je me sentais prête à accepter toutes les éventualités : le voir à l'article de la mort, le visage émacié et jauni ; le découvrir maître de cérémonie, magnifique et souriant dans ses jardins en terrasse, ou encore bel homme solitaire, écrivain de sa propre vie, que sais-je ?

J'achetais un plan de la ville, puis la laissant derrière moi, avec les ruelles en pente, les fontaines, les palais, et le port qui contenait avec peine un trafic international, je roulais vers la colline. Gênes vivait en contrebas comme un animal énorme qui aurait dévoré ses petits. Ça grouillait et palabrait, les voix résonnaient en se heurtant aux murs penchés des maisons et les sirènes du port gueulaient une note centenaire toujours la même, celle des bateaux géants si lents à s'éloigner, pour n'être bientôt qu'un poids plume à la merci des vents maritimes.

La chaleur dans la voiture était insupportable, les vitres ouvertes je recevais de l'air chaud comme sorti du feu, et déjà je n'étais plus présentable. J'avais acheté à Aix des tenues féminines et une jolie valise, du maquillage et mon parfum, je m'étais préparée pour ce rendez-vous qui n'en n'était peut-être pas un. Ma robe collait à mon dos, la sueur descendait le long de mes joues, je commençais à apercevoir les villas protégées, les riches villas des hauteurs, à peine exposées derrière les hauts murs de pierre, les arbres et les grilles. Les dernières construites semblaient aussi les moins chères, elles étaient ouvertes, le garage y tenait autant de place que la terrasse, les jardins avaient des citronniers achetés en pots et des oliviers aussi minces que des plantes d'appartement, c'était des maisons sans passé. Les adresses des nouveaux riches. Qui voulaient qu'on les voie.

Je trouvais sans peine la Via Pescia et l'appréhension me poussait à aller plus vite, comme on court au-devant du danger, un affrontement guerrier, le dernier, avant que le mystère n'éclate et que retombe la pression. Le temps se distendait comme dans ces rêves qui disent en quelques minutes plus qu'une journée, plus qu'une vie parfois, qui disent que votre âme est plus vaste que votre vie et que vous la tenez enfermée depuis trop longtemps. Il se passait enfin quelque chose de plus important que tout. Quelque chose pouvait enfin arriver, déchirer l'engourdissement, exploser comme l'intérieur d'un fruit.

J'arrivais devant La Florida. J'avais profité d'un mince espacement sur cette route faite de virages pour y laisser ma voiture, car il n'y avait aucune place pour se garer. On avait construit les maisons avec force, orgueil et résistance. Le plaque de pierre de La Florida était si ancienne qu'elle était à peine lisible, effacée par le temps, et la grille verte d'un seul vantail n'indiquait pas la beauté de la demeure. Mais de la route, il fallait lever la tête si haut pour apercevoir la villa, et n'en apercevoir que les dernières terrasses, que je savais que Dario ne m'avait pas menti : c'était un lieu aussi beau que protégé. Une beauté cachée et jalouse. Je le reconnaissais bien là.

Je sonnais à l'interphone tout neuf qu'on avait rajouté depuis peu, à l'évidence. Une femme me demanda ce que je voulais, et comme je répondais simplement « Dario », elle dit en ouvrant, ce mot que j'avais espéré à la frontière, d'une voix brouillée par l'appareil, elle dit simplement « Avanti ».

Je montais l'étroit chemin de pierre qui menait au premier jardin, la terrasse ancienne et la mer au loin, les lauriers touffus, les oliviers, puis un escalier encore, un jardin plus vaste, des plantes grasses, des lauriers-roses, quelques géraniums brûlés par le soleil, et un autre escalier au pied duquel enfin, je pouvais voir la maison, je m'y m'arrêtai un moment. Au bout de cet escalier de pierre, il y avait l'effacement du temps, l'oubli des trente années qui m'avaient séparée de Dario, et je savais qu'il n'y avait dans notre rencontre d'aujourd'hui aucune place pour la nostalgie, simplement cette certitude que nous étions tous, absolument tous fous de n'avoir pas préservé au fond de nous, un brin d'adolescence.

Au bas de cet escalier, dans cette odeur sucrée de citronniers et d'orangers, avec le bruit lointain des avions, leurs sillons croisés, la Méditerranée dans laquelle se confondait le ciel, avec cette vie partout autour de moi, les oiseaux éparpillés, les abeilles, les chiens assoiffés, les enfants dans les berceaux des chambres fraîches, les vieillards dans leurs bureaux anciens, les bibliothèques sombres, les filles devant les miroirs, les paysans taiseux, les domestiques, les amoureux, les neurasthéniques, avec ces vies qui commençaient, qui finissaient, se dispersaient, se confondaient dans l'oubli le gouffre du temps, moi au bas de cet escalier, je savais que cette maison allait s'ouvrir et ne me résisterait pas.

Elle s'appelait Giulietta. C'est ce qu'elle me dit en français, avec son accent de rocaille et de chant, cet accent italien des films qu'on aimait, des chansons faciles qui rendaient amoureux le temps d'une danse ou d'un regard, elle prononçait « Djioulietta », avec la place pour chaque voyelle et le crescendo des mots.

Elle avait la beauté troublante de ces femmes de 50 ans qui ont été très belles et gardent intact cet orgueil à se savoir différentes toujours, plus haut placée parce que si chic encore, tenues et fières, avec un regard plein de feu, les pommettes hautes, la bouche encore troublante, toujours maquillée, et la chevelure brune, brillante, comme un bijou préservé. Elle était sûre d'elle et de son charme, une femme qui ne devait jamais se plaindre, jamais se soumettre à la maladie, rarement s'attendrir et maîtriser ses émotions en public, pour mieux se donner et aimer en privé.

Elle m'avait ouvert elle-même la porte, bien avant que je n'aie frappé, elle était là et m'attendait, afin que je comprenne d'emblée que la maîtresse

des lieux, c'était elle. Est-ce qu'elle avait découvert
l'annonce de Dario ? Est-ce qu'il lui avait dit que je
figurais sur la liste des invités pour la fête, des
anciennes à revoir pour l'autobiographie, est-ce qu'il
s'agissait d'un jeu entre eux, un pari de bourgeois
qui s'ennuient, un couple dépravé un peu désabusé ?
Elle n'était pas surprise de ma présence, elle m'attendait, de toute évidence. Mon nom à côté du sien
résonnait pauvrement, « Emilie Beaulieu », tellement
français et atone, mon prénom comme un mono-
chrome, moi transpirante et pâle devant cette longue
femme brune et mince, habillée avec une élégance
discrète et imparable. Moi, dans ma petite robe à
fleurs, mes chaussures trop neuves, ma fatigue et
mes doutes. Elle au parfum poudré, à la peau
brune à peine maquillée mais tellement soignée, ses
ongles parfaits, ses bracelets fins. Et Dario entre
nous, caché, dissimulé, partie prenante de cette mise
en scène peut-être. Il m'appelle et c'est elle qui
m'accueille.

Elle m'a fait asseoir dans le petit salon, la pièce
était sombre déjà protégée de la chaleur du matin, la
poussière dansait dans les rais de lumière et s'était
déposée sur les tapis, le piano droit, sans que personne n'y prenne garde jamais. Il y avait dans cette
pièce aux fenêtres en ogive, au plafond haut un peu
lézardé, l'odeur des tissus de velours jamais battus et
des vieux chiens endormis. Le regard de Giulietta
sur moi était sans sympathie, sans méfiance non

plus, on aurait dit qu'elle hésitait, cherchait les mots exacts, ce n'était pas une question de langue, je compris très vite qu'elle était bilingue comme le sont les Italiens de ce milieu, aussi à l'aise à Paris qu'à Gênes, Rome ou New York, et qui parlent aisément plusieurs langues par politesse acquise et confort évident. La femme de chambre nous a apporté du thé, et nous sommes restées un moment ainsi dans un silence attentif, je n'osais pas parler de l'annonce car elle m'apparaissait soudain irréelle un peu ridicule, mais cette femme connaissait mon nom avant que je ne le lui dise, connaissait mon existence, et ne savait apparemment pas quoi faire avec. Je m'attendais soudain à ce qu'elle me demande, avec l'assurance qui était la sienne, de repartir au plus vite, de fiche le camp avant que Dario n'arrive, et que je ne le croise surtout pas, elle ne l'accepterait jamais, elle avait découvert l'annonce, elle était folle de rage, etc.

— Vous savez ce que je fais ici ? j'ai demandé.

Elle a pris un temps avant de me répondre, j'ai vu battre la veine à son front.

— Je veux que vous voyez Dario.

Son prénom prononcé par elle, avec ce relief que donne l'italien aux moindres syllabes, ce prénom devenait immense soudain, et lourd, trop concret. Elle VOULAIT que je le voie ? Pourquoi ? Une dernière confrontation ? Un test ? L'Emilie de presque 50 ans effacerait à jamais le souvenir de l'adolescente aimée ? Je doutais fort d'avoir tant d'importance dans la vie de Dario. Mais lui, que voulait-il ? Je me suis sentie plus forte que Giulietta soudain : puisqu'elle émettait un souhait, c'est moi qui prenais les commandes, et qui pouvais refuser. Mais elle ne m'a pas laissée répondre.

— Il ne faudra vous étonner de rien, elle a dit d'une voix blanche.

— Il est malade ?

— Peut-être.

— Il est ici ?

— Evidemment !

— Pourquoi a-t-il passé cette annonce ? Qui êtesvous ? J'ai roulé depuis Paris, et je n'aime pas être manipulée.

— Manipulée ? Je suis la femme de Dario depuis plus de vingt ans ! Nous n'avons ni le temps ni l'envie de manipuler qui que ce soit.

Et après un petit temps, elle a rajouté :

— Et surtout pas vous…

Elle s'est levée et j'ai vu soudain que c'était une femme pleine de précipices, une femme qui luttait parce qu'avoir besoin de l'aide de quelqu'un était pour elle un véritable supplice, elle n'avait pas l'habitude de cela, elle avait toujours été traitée comme une princesse et n'avait jamais eu à demander. Elle marchait un peu dans la pièce, elle n'était pas si grande finalement, mais si fine, tendue, un orgueil démesuré.

— Emilie, ce que j'ai à vous dire n'est pas facile et j'aurais vraiment préféré pouvoir me passer de vous. J'ai beaucoup hésité avant de passer cette annonce.

— Je… Vraiment je ne comprends pas…

— J'ai triché, c'est vrai. J'ai écrit « Rejoins-moi » et signé à la place de Dario. Je savais que s'il y avait une chance une seule pour que vous veniez jusqu'à lui, je n'avais évidemment pas intérêt à signer moi-même. Je me trompe ?

Je me suis levée et avant de partir je l'ai regardée avec une assurance nouvelle, je me sentais soudain plus forte qu'elle. Et pleine d'une colère sourde.

— Je ne veux pas savoir pourquoi vous avez passé cette annonce, je n'ai aucune envie de connaître vos raisons. Mais je ne pense pas pouvoir vous être utile.

J'étais en colère mais déçue aussi, humiliée par la tricherie de Giulietta, la petitesse et la facilité du procédé. Je me suis levée et je suis sortie. La maison m'apparaissait étroite soudain, plus du tout à la hauteur de ce que j'avais projeté de ce voyage, tant d'espérances, et pour quoi ? Apprendre que je me suis fait piéger, que jamais Dario n'a passé lui-même cette annonce, qu'il ne l'a même pas dictée à sa femme… qu'il n'en sait peut-être rien ?

La lumière du jardin était d'une violence inouïe, une lame chauffée à blanc. Lorsque je suis arrivée à la deuxième terrasse, je me suis arrêtée un instant, prise de vertiges, et me suis appuyée contre la balustrade de pierre, en face la mer était presque blanche, piquée de reflets d'argent insupportables à regarder. Je savais que derrière moi, dans une pièce de la vieille maison, il y avait Dario. Un ancien Dario, peut-être malade, peut-être pas, en proie à une mélancolie soudaine, un cancer mal identifié, un homme fatigué qui vivait avec une femme désemparée qui commandait au monde comme elle avait toujours commandé à ses employés de maison et ceux des usines de son père qui sait ? Une bourgeoise qui regrettait de ne pas avoir réussi dans le mannequinat ou le cinéma, qui brûlait d'anciennes photos les soirs de nostalgie et vivait dans la pénombre plus pour se protéger d'elle-même que du soleil.

— Prenez un peu d'eau.

Il fallait vraiment qu'elle ait besoin de moi pour m'avoir couru après avec un verre d'eau. Je l'ai pris, malgré le peu d'envie que j'avais d'accepter le moindre geste venant d'elle. J'avais envie de fuir, mais la frustration (ce voyage pour rien, l'ignorance dans laquelle j'étais de ce qu'il était arrivé à Dario) et aussi l'émotion presque insupportable qu'il y avait à le sentir là, si proche, vivant, le même homme, le même nom, à quelques mètres, quelques souffles…

— Il sait que je suis là ?

— Comment le savoir ?

— Qui a besoin de moi ? Lui ou vous ?

— Ecoutez : vous êtes en colère et je le comprends. Je regrette ce que j'ai fait… enfin, je regrette de l'avoir fait de cette façon. Ça n'était pas honnête. Je n'avais jamais fait une chose pareille avant. Jamais.

— Dites-moi ce que je fais ici.

On était à égalité, soudain. Oubliés la politesse et l'élégance, le raffinement et les bonnes manières.

Je ne voulais savoir qu'une chose : c'était quoi le deal ?

Elle a juste dit une fois encore, mais d'une voix moins assurée maintenant, presque à regret, elle a répété :

— Il ne faudra vous étonner de rien.

Et soudain j'étais seule, derrière une porte inconnue, tout en haut de la grande demeure un peu triste
et délabrée, et soudain il y avait cet homme. Trente
longues années depuis ce matin de septembre dans la
pinède aixoise, et la voiture prête à partir, et cet
adolescent qui sanglote et trébuche et rejoint sa mère
et s'en va et ne me rappelle jamais, jamais, jamais.
Trente années et soudain, je me tiens derrière cette
porte au vert passé, à la petite poignée de laiton, et je
ne sais plus qui il est, pourquoi je suis là, ni pourquoi cette femme qui l'aime me donne à lui. Mais je
sais que je vais tout accepter. Qu'il soit mourant, fou
ou défiguré. Qu'il soit vaniteux, égoïste, alcoolique,
dément. Je vais accepter ce que le temps a fait de lui,
les nuits de désespoir et celles où il a fait l'amour
jusqu'au désastre, les jours qu'il a dévorés et ceux où
il a souhaité mourir. La grâce et les chutes. Les plus
belles détresses et les rires innocents, les jours où il a
été fils et ceux où il a aimé jusqu'à se mettre à
genoux, et s'est haï peut-être de tant de dépendance.
J'ai frappé à la porte. Il n'a pas répondu. J'ai posé la
main sur la poignée. Je suis entrée.

Il était là. Son dos. Son grand corps penché un peu, cette attitude douce, un peu désinvolte qu'il avait déjà à 17 ans. C'était lui. Plus fort, plus massif, et ses cheveux semblables, d'un blond à peine plus pâle, fins encore, et son visage tourné vers la fenêtre, pas celle qui donnait sur la mer, mais sur les pins parasols, les orangers et la glycine. Il n'avait jamais eu besoin de regarder loin pour s'évader. Je voulais l'appeler. Je voulais dire son nom comme la première fois, et qu'il me corrige en chuchotant... « Ario ? — Non : Dario. — Ah ! Mario ! — Non : DA-rio ! Dario Contadino... »

Dario Contadino... J'ai juste dit tout doucement, j'ai murmuré plus pour moi que pour lui : Ragazzo... Parce qu'il était ça, encore. Il porterait ça, toujours. Ragazzo... Celui que nous avons toutes aimé. Celui qui donnait sa bouche, ses mains à toutes, et sa fatigue juste pour moi, juste un geste du poignet sur son front, cette échappée magnifique... Dario Contadino... Tant de filles avaient prononcé son nom, et goûté sa langue, ses lèvres, et n'en revenaient pas, comme c'était simple, comme il était là et n'exigeait rien en retour. Je regardais son dos et je pensais à mon doigt le long de ses reins, et lui qui regardait la mer et tremblait un peu, et puis mes mains et puis l'amour sur la terre trop dure et notre orgueil, cet amour si vivant, si juste, unique.

Tout doucement je me suis approchée de lui. J'avais le trac à en pleurer. J'étais une mère qui

retrouve ses petits. J'étais une louve. Une chatte.
Une chienne. J'étais dans le besoin viscéral qu'il se
retourne et me parle. J'avais le centre de la terre au
fond du ventre. J'étais vivante à en avoir mal. Je
savais que j'avais pour toujours un peu de lui en
moi. Comme une empreinte sur la pierre. J'avais sa
couleur et son goût. J'avais ses secrets. Son regard. Et
même l'amour infini de sa mère. J'avais sa jouissance
et la surprise de la jouissance, cette douleur unique,
ce cri au bord des larmes, ce long corps dans le mien
et qui se rend, qui hurle et s'effraye de son cri. J'avais
accueilli sa joie et sa jeunesse et nous avions grandi
sans le savoir, nous nous étions poussés mutuelle-
ment vers le monde des hommes mais nous savions
une chose, intuitivement, secrètement : nous ne
retrouverions jamais la puissance de cet amour,
généreux et sans référence, et l'inconscience de ceux
qui se croient immortels.

Il m'a entendue. Il s'est retourné. Il m'a regardée.
Ses yeux qui avaient vu tant de choses sans moi. Ses
yeux que tant d'autres avaient regardés depuis toutes
ces années, sans savoir. Le même regard lointain,
indécis et humble, doux un peu en retrait. Le même
bleu pudique et fatigué. A peine troublé. Les cils
plus fins, plus droits. Les sourcils plus lourds et la
ride au-dessus, comme une marque nouvelle. Moi,
je ne bougeais pas. Pas un geste dans cette si petite
pièce qui sentait le parquet verni et les vieux livres
humides, les livres des maisons au bord de la mer, les
pages gonflées d'humidité et les grains de sable qui

ne partiront jamais. J'étais face à lui et j'aurais voulu que l'on meure dans l'instant, sans un mot, une explication, que l'on meure pour revenir au temps où il n'y avait que nous. Mais il me regardait et je ne lisais plus rien dans ses yeux. Passé la reconnaissance de ce regard, de sa couleur, il ne me donnait plus rien. Ni l'étonnement. Ni la joie. La gêne ou la fatigue. Pas même une politesse feinte. Juste il me regardait et puis son menton a tremblé un peu comme celui des enfants qui vont pleurer. Mais il ne pleurait pas et il s'est retourné vers la fenêtre sans un mot. Ça a duré longtemps je crois. J'ai posé ma paume ouverte sur son dos. Il s'est dégagé très vite, d'un déhanchement à peine. Alors je suis restée un moment à le regarder, sans comprendre. Et puis Giulietta est entrée. Tout doucement, avec d'infinies précautions. Elle lui a tendu un verre de whisky, il s'est assis, nous nous sommes assises aussi, dans de vieux fauteuils crapauds au rose pâle, au velours griffé, et Giulietta a dit : « C'est Emilie. »

Il a bu un peu sans répondre. Elle a redit : « C'est Emilie. Tu m'as parlé souvent d'Emilie. Tu avais 17 ans. A Aix-en-Provence. Mimoune te parle souvent d'Aix-en-Provence… Tu te souviens… ? »

Il a soupiré, il a vidé son verre et il a fait « non » de la tête, lentement, il s'est levé, il est sorti, la porte est restée ouverte derrière lui, j'ai entendu ses pas dans l'escalier aux dalles de marbre, et puis plus rien.

Giulietta a fermé les yeux et elle a dit :

215

— Il ne se souvient plus de rien. Il va falloir que vous m'aidiez.

J'ai regardé le verre vide que Dario avait posé à même le parquet, et j'ai dit oui.

Giulietta a fait préparer un lit pour moi dans une chambre sur le palier entre deux étages, et qui donnait face à la mer. La tapisserie aux petites fleurs mauves était ridicule et passée, l'armoire en bois dans laquelle on avait oublié des vieux billets de train, quelques foulards, des plombs électriques et des ampoules cassées, sentait l'humidité et les feuilles mortes. J'entendais des voix lointaines, les interjections italiennes qui se prolongent et donnent aux demandes les plus simples des accents d'imprécation. Les cris se fondaient dans le fracas trop léger des vagues méditerranéennes, mariées à son rythme distrait. Au-delà de cette maison, on vivait dans l'indolence et la douceur d'un début d'été. Dans cette maison rien ne filtrait du temps qu'une pesanteur un peu aigre, le goût des fruits trop mûrs et des fleurs fanées. Au-dessus de moi il y avait la chambre de Dario. Les formes de sa vie aux contours flous, cette réclusion mentale, presque inévitable, lui qui n'avait jamais été vraiment des nôtres, observateur indulgent, fildefériste étourdi et troublant, énigmatique malgré lui. Je l'entendais marcher. Ouvrir une

porte, fermer une fenêtre… Avait-il des gestes mania-
ques, faisait-il des choses absurdes, était-il dangereux
à lui-même ou passait-il ses journées dans une
absence inaltérable, comme un vieil animal qui va
mourir et s'essouffle lentement avec une résignation
désespérée… ?

Un jour il avait aimé une femme, l'avait aimée au
point de l'épouser et de la garder vingt années durant.
Il avait travaillé, sûrement. Peut-être était-il père.
Grand-père. Entre notre adolescence et aujourd'hui
il avait été vivant parmi les vivants.

Giulietta me parlerait demain, c'est ce qu'elle
disait. Je ne pouvais pas rester longtemps à Gênes et
lui demandai donc d'être concrète. Je lui dis ça,
« être concrète », ce qui m'apparut aussitôt absurde,
vu le délitement de la situation, cette amnésie de
Dario qui ne donnait de toute évidence aucune prise
sur rien. Elle voulait que je lui parle, que je lui rappelle ce que nous étions, à Aix-en-Provence en 1976.
Un souvenir le réveillerait peut-être, peut-être quelque chose affleurerait lentement, ou bien un choc
soudain, et il sortirait la tête hors de l'eau et revien-
drait à sa vie, à son nom, à sa femme.

J'écoutais les pas de Dario au-dessus de ma tête, et
puis sa voix à elle soudain, et des phrases inaudibles,
le monologue de Giulietta… Depuis combien de
temps demeurait-elle ici avec cet homme qui ne parlait plus ? Depuis combien de temps guettait-elle
chaque soir des retrouvailles qui n'avaient jamais
lieu ?

*Le premier amour*

La mer était d'un bleu plus sombre maintenant que le soir venait, l'air était plus léger, j'ouvrai la fenêtre et regardai au loin les silhouettes quitter la plage, cette journée de paresse et de chaleur qui laisse étrangement fatigué presque endolori de n'avoir rien fait. Les silhouettes s'éparpillaient pour retrouver une cuisine, le bienfait d'une douche d'eau claire, un apéritif près du port, commencer la dernière partie de cette journée, avec la peau chaude encore, les lèvres salées un peu sèches, et les odeurs de crème solaire et de chouchous. Je me sentais enfermée dans un château hors du temps, le donjon des aristocrates qui n'ont pas vu venir le désastre et la chute, et sont devenus étrangers au monde bien avant de l'avoir quitté.

Le lendemain matin la maison m'est apparue diffé-
rente. Il y avait des domestiques, un livreur, une radio
allumée ; des portes claquaient, des odeurs de café et
de pain grillé donnaient un peu d'intimité aux pièces
dispersées, à cette maison faite de recoins, d'escaliers
dérobés, de caves et de dépendances. Le lendemain
matin la maison vivait.

Giulietta voulait que nous déjeunions sur la plage,
un restaurant de fruits de mer qu'elle aimait et où
disait-elle, nous serions tranquilles pour parler. Elle
m'avait proposé de téléphoner autant que je le voudrais en France, et indiqué une petite bibliothèque au
premier étage, dans laquelle on pouvait s'isoler et parler sans être dérangé. J'avais besoin d'appeler Marc.
Besoin de cette familiarité qui m'aiderait à me recen-
trer, besoin soudain de cet homme et de la connaissance qu'il avait de moi. Je voulais lui dire ce que
peut-être je ne lui avais jamais dit. Que je n'avais
couru après une vie simple que parce que j'étais moi-
même éparpillée, j'avais eu besoin de l'ancrage d'un
mari pour ne pas voler en éclats et je n'étais sans
doute pas plus faite pour cette vie-là, épouse et mère

de famille, que pour mille autres, carmélite, reporter de guerre, lesbienne, artiste, caissière, modèle, écuyère, mère célibataire bohème et affranchie, amante unique et toujours célébrée par un homme qui ne m'aurait jamais fait d'enfant, ou bien simplement tout cela était-il trop long pour moi, j'étais faite pour me brûler les ailes et disparaître, éphémère comme les papillons de mon père. J'aurais regardé du ciel ma mère et sa jeunesse, mon père et son grand âge, et je n'aurais pas voulu naître de ces deux-là, je serais repartie pour revenir plus tard, ailleurs, sous la forme d'une lumière semblable à celles que l'on découvre parfois en haut des routes, au sortir d'une forêt, qui surprend et ravi. J'aurais voulu être une bonne nouvelle. J'aurais voulu être une accalmie. Un grand repos. J'aurais voulu être une seconde, celle où l'on sent le bonheur, la joie dans l'harmonie. Et puis mourir. J'aurais voulu être le rire de deux personnes qui s'aiment. J'aurais voulu être le contre-ut. Le chef-d'œuvre. L'idée géniale. Et renaître ailleurs. Dans la sève. La marée montante. Le vol plané de l'aigle. Ou le bruissement d'ailes des hirondelles, quand elles volent bas près des étangs, et que le soir descend, humide et tranquille. Voilà ce que je voulais dire à Marc, le besoin de l'instant et de la beauté, et rien d'autre. Mais ce que je lui ai dit ç'a été un « C'est moi, tu es toujours en colère ? » qui avouait une culpabilité que je croyais ne pas ressentir.

— Tu es où ? Tu es arrivée à Gênes ?

— Oui, je suis à Gênes.

— Je te rejoins demain, je prends le vol Alitalia de 20 h 50.

— Non.

— Qu'est-ce que tu dis ?

— Je dis non, ne fais pas ça.

— Et pourquoi ?

— Parce que c'est idiot… Je ne reste que quelques jours. Je rentre à la fin de la semaine.

— Parfait, on rentrera ensemble. Donne-moi une adresse et un numéro de téléphone.

Je lui donnai juste le numéro de téléphone.

— Tu as vraiment peur que je débarque ?

— Marc ? Est-ce que j'ai été une bonne épouse ?

Il y a eu un temps. Je l'avais pris de court. Zoé lui avait parlé, ainsi que je le pensais. Il savait que j'étais à Gênes.

— Et moi ? Est-ce que j'ai été un bon époux ?

Il était rare que Marc avoue son désarroi, mais quand il le faisait c'était toujours avec une franchise qui me bouleversait, me rappelait sa fragilité masquée, l'élégance avec laquelle il portait ses blessures invisibles.

— Oui… Tu as été un bon époux… Un bon père aussi. Tu as vraiment été un bon père.

— Je le suis toujours.

— Je le sais. Les filles t'adorent.

— Non, je veux dire : je suis ENCORE un bon époux. Vingt-cinq ans et mille cinq cents kilomètres après.

— Oui.

— Et je prends demain le vol de 20 h 50.

— Non.

— Pourquoi ?

— Je suis ici pour aider une amie, Giulietta…

— Pas à moi le coup de l'amie, s'il te plaît.

— Son mari est amnésique.

— Mais il se souvenait de ton nom, trente ans après, la médecine fait de sacrés progrès.

— Zoé t'a raconté ?

— C'est sympa de choisir notre enfant comme émissaire de l'ONU.

— Je regrette.

— Tu peux.

— C'est la femme de Dario qui a passé cette annonce. Parce qu'il est amnésique justement.

— ÇA c'est une bonne épouse !

— Marc écoute-moi, je comprends que tu sois en colère et…

— Je ne suis pas en colère.

Il y avait une abeille derrière la vitre, la première abeille de l'été. Je n'avais jamais eu peur des abeilles, et jamais elles ne m'avaient piquée. Je repensais à ma mère et à ses cris, nos sandwichs au jambon et notre impossibilité à être insouciants jamais, dans cette famille dépareillée.

— Je ne suis pas en colère. Je voudrais juste comprendre pourquoi il a suffi qu'un amour de jeunesse mette une annonce dans le journal pour que tu perdes la tête !

— Je voudrais comprendre moi aussi. C'est peut-être pour ça que je suis là.

— Tu pensais souvent à cet homme ?

— Oui. Souvent.

— Quand par exemple ?

— Quand je me suis mariée. Quand mes filles sont nées. Quand elles ont eu 15 ans. Quand ça sent la résine de pin l'été, le chocolat chaud, la sueur, la cannelle, quand j'entends Mike Brant, Johnny Halliday, les cigales ou Chopin, quand je vois des films italiens, des adolescents amoureux, des vélos, des cariatides, des bateaux, quand je m'endors au soleil, quand je ris devant la glace, quand je danse toute seule. Quand je suis bien. Quand la vie est tout près.

Il y a eu un long silence. J'aurais compris qu'il raccroche. Qu'il rie. Qu'il s'énerve. Se moque de moi ou me plaigne. Mais il a juste dit :

— Mais ce matin, c'est à moi que tu pensais.

Et il a raccroché. J'ai ouvert la fenêtre. Dans le jardin un homme en grand tablier bleu, appuyé sur un râteau, riait en téléphonant, c'était la première fois que je voyais un jardinier avec un téléphone portable.

— J'ai rencontré Dario à Rome il y a plus de vingt ans, chez des amis. J'étais mariée à un chirurgien, plus âgé que moi. Et ce n'est pas ce que vous croyez, je veux dire, je n'étais pas une jeune bourgeoise qui s'ennuie.

— Mais je ne crois rien.

— Ce que je veux dire, c'est que… Vous connaissez Dario… Je ne sais pas comment il était adolescent, s'il était déjà… Enfin, c'est un homme avec qui il n'y a rien à prouver. Il suffit d'être vous-même.

Je n'étais pas sûre tout d'un coup d'avoir envie d'entendre l'histoire de Giulietta. Qu'elle ait quitté un homme pour Dario, qu'il ait quitté peut-être une femme pour elle était on ne peut plus banal. Et sans intérêt. Elle était là, à la terrasse de ce restaurant face à la mer, les ombres des cannisses voilaient son visage, elle parlait par à-coups, comme une qui a du mal à respirer profondément, et on aurait dit qu'elle était posée au bord du monde, prête à tomber.

— J'ai mis l'annonce chaque jour de chaque

semaine pendant trois mois. J'étais sûre que vous viendriez.

— C'est un hasard que j'aie eu ce journal sous la main, vous savez.

— J'ai essayé Internet aussi, les sites de copains, Facebook…

— Je n'ai pas d'amis sur Internet, et je ne m'intéresse pas à ce que sont devenues mes anciennes copines. Elles m'annonceraient quoi ? Des prénoms d'enfants avec des dates de naissance et de mariage, je verrais des photos d'anniversaire, de vacances à Djerba, et après ?

— Je suis même allée voir une voyante, pour savoir dans quelle ville vous viviez…

— Je suis si importante que ça ? Ou vous êtes si désespérée que…

— Je ne suis pas désespérée. L'homme que j'aime est vivant. Tant qu'il est vivant je suis heureuse. Je remercie Dieu chaque jour.

Il y avait sur la plage, comme sur toutes les plages, des adolescents qui flirtaient, il y avait dans cette journée des filles et des garçons qui priaient le ciel de tomber amoureux, et que ça marche, et que ça dure, le grand amour, l'histoire unique, le plus beau moment de leur vie.

Et Giulietta et moi étions encore sous le choc de cette révolution-là, liées à Dario, obligées de nous entendre, de nous aider sans le vouloir vraiment.

— Vous avez des enfants ?

— J'ai perdu deux bébés, je veux dire, j'ai fait deux fausses couches, avec Paolo... mon mari... Je n'ai jamais pu avoir d'enfant.

Elle avait dit cela en repoussant sur la nappe des miettes de pain, avec de petits gestes nerveux de la main, répétitifs, et continué encore, même lorsqu'il n'y avait plus aucune miette sur la table.

— Et vous ?

Elle avait demandé cela avec un sourire soudain, presque mondain, et fait signe au garçon d'apporter deux cafés. Je lui parlai sommairement de mes filles, mon métier, elle écoutait poliment en pensant à autre chose et je sentais qu'elle avait hâte que je finisse pour dire enfin ce qui lui tenait à cœur :

— J'ai vécu une histoire d'amour unique pendant 19 ans avec un homme qui m'a offert une vie exceptionnelle, et j'ai cru un temps que les dieux m'avaient choisie pour représenter le bonheur sur terre. Je considérais les autres, nos couples d'amis, nos relations, comme des êtres qui n'avaient pas la grâce, ne vivaient pas une vie mais un brouillon de vie, des gens à qui on donnerait sûrement une deuxième chance tant ce qu'ils vivaient semblait inabouti et frustrant... Et me voilà...

— Quand est-ce que Dario vous a parlé de moi ?

— Jamais.

— Pardon ?

— Je vous ai menti hier lorsque j'ai dit qu'il m'avait souvent parlé de vous, Emilie. J'ai pris un raccourci, je suis allée au plus simple.

— Sa mère vous avait parlé de moi ?

— Mimoune ? Non. Mais elle parlait souvent d'Aix-en-Provence c'est vrai, elle considérait cette période comme une des plus belles de sa vie.

— Décidément ! Dario ne vous a jamais parlé de moi ! Dario n'a jamais passé cette annonce ! Vous êtes sûre de ne pas pouvoir vous passer de mes services ?

— Dario a écrit sur vous. Des pages magnifiques. Je les ai lues il y a très peu de temps, juste après son amnésie. J'ai fouillé dans ses affaires évidemment, je cherchais le moindre signe, ce qui pourrait m'aider, m'expliquer... Oh, je ne sais pas...

— Vous... Vous n'avez contacté que moi ou bien...

— Dario n'a jamais écrit sur une autre femme que vous.

— Ces pages, c'était son journal d'adolescent ?

— Non. C'était très récent. J'ignore ce qu'il voulait en faire. Il y a un endroit que Dario aime beaucoup, c'est une petite chapelle abandonnée sur la colline derrière la maison, il allait souvent s'y promener. Je voudrais que vous y alliez ensemble cette après-midi, vous lui parlerez, vous le... Vous le...

— Oui ?

— Enfin, vous comprenez ?

— Non.

— Vous pouvez être tendre avec lui, vous pouvez...

— Tout faire pour qu'il retrouve la mémoire... ?

— S'il vous plaît.

Elle a regardé la mer, sans rien ajouter. Son pied battait la mesure sous la table, le vent ramenait sans cesse ses cheveux sur son visage.

— C'est le vent qui vient du nord, elle a dit. L'Atlantique.

Je ne savais pas ce qu'elle espérait de ma relation avec son mari. Je ne savais pas si elle était pitoyable ou admirable. Soudain elle s'est tournée vers moi et elle a murmuré :

— Il a écrit que vous étiez la fille la plus pure qu'il ait jamais rencontrée, et la plus douée pour l'amour aussi.

Puis elle a demandé l'addition, le garçon a crié « Subito ! » et lorsqu'elle a dit « Grazie », j'aurais juré que ce n'était pas au serveur qu'elle s'adressait, mais à moi.

Nous sommes rentrées et Dario n'était pas là. La gouvernante était effondrée, elle ne l'avait pas vu partir, sûrement il avait profité d'un moment où elle avait tourné le dos pour s'en aller. Tandis que Giulietta tentait de la calmer tout en se demandant si elle devait appeler la police ou partir elle-même le chercher, je me félicitai d'avoir échappé à la promenade à la chapelle avec lui. Je regardais Giulietta, ses directives, son sang-froid apparent, et je me disais qu'elle s'était levée chaque matin où je m'étais levée, qu'elle avait vécu les mêmes heures et les mêmes dates que moi, depuis vingt ans, moi avec Marc, elle avec Dario, et alors que je pensais à lui comme à un pan d'une vie ancienne et perdue, elle projetait avec lui ses journées, planifiait leurs vacances, elle passait sa main sur sa joue le matin au café, parfois elle s'habillait avec une chemise à lui, un pull en cachemire quand elle traînait dans la maison, puis elle se préparait le soir pour leurs dîners en ville les réceptions de la bourgeoisie génoise, elle était belle et consciente d'être sa fierté. Je faisais l'appel dans la salle de classe, elle se réveillait à ses côtés, il dormait contre son dos, la bouche sur ses cheveux, elle se levait la première, et c'était toujours elle qui lui disait le temps qu'il faisait. J'étais avec mes filles au square, au cinéma, sur un quai de gare, on faisait les soldes, on chargeait la voiture, on se prenait en photos, j'étais avec Marc, on buvait un verre de vin dans la cuisine, on s'abritait de la pluie sous les arcades de la rue de Rivoli, on organisait des dîners avec ses parents, on traînait dans des brocantes, des marchés couverts, elle vivait avec Dario, elle choisissait les menus, lui faisait parfois la surprise de cuisiner elle-même, elle achetait pour lui la même chemise Cerruti en trois couleurs différentes, elle plantait dans le jardin un lilas, un laurier-rose, là où il aimait prendre son café, lire le *Corriere della Sera*, elle préparait l'anniversaire de Mimoune, achetait pour elle un roman français, puis pour lui faire plaisir lui demandait de lui parler d'Aix comme si c'était la première fois. Giulietta et moi vivions le même temps, dans l'ignorance totale et absolue l'une de l'autre. Lentement à notre insu, la vie se préparait à nous mettre face à face et sans échappatoire. Et maintenant je la voyais marcher dans le jardin en l'appelant douce-ment, comme on appelle un animal sans vouloir l'effrayer et se rassurant nous-mêmes par la douceur de notre voix, et je sentais cet équilibre précaire dans lequel la maladie de Dario la faisait vivre et comme le danger s'était invité dans leur vie. Eux qui n'avaient jamais eu peur. Ne s'étaient jamais levés la nuit pour la fièvre d'un tout-petit, n'avaient jamais guetté un enfant qui rentre tard, une adolescente qui a la permission de minuit et n'est pas là à minuit trente, eux qui n'avaient jamais craint pour d'autres qu'eux-mêmes, étaient leur propre miroir, la mesure du temps qui passe, les premiers cheveux gris de Dario, la salle de gym que l'on installe au rez-de-chaussée, dans l'ancien boudoir, les menus plus diététiques, les premières lunettes, les robes de Giulietta moins courtes, ses chemisiers moins échancrés, tout cela dans une maîtrise évidente, avec la simplicité de ceux qui sont riches et habitués à trouver une solution à tout, beaux toujours, beaux encore, et amoureux quand tous les couples autour passent des compromis et des accords de défaite.

Et maintenant elle allait plus vite d'une terrasse à l'autre dans le jardin face à la mer, et déjà la Méditerranée n'ouvrait plus l'horizon mais le fermait. Elle a fini par me rejoindre, s'est assise à côté de moi, la sueur coulait sur son cou, rejoignait ses seins, elle vivait ses dernières années de jolie femme, les dernières avant que l'on ne dise « elle a dû être très jolie », avant que sa féminité ne soit plus qu'une supposition.

— Roberto, son secrétaire, est parti dans la colline. Il connaît tous les coins préférés de Dario. Il saura le retrouver. Toujours les domestiques veulent que j'appelle la police, je ne m'y suis jamais résignée.

Elle s'est tournée vers la mer comme si elle l'interrogeait du regard, puis elle a souri, plus détendue.

— Dario avait une passion, il collectionnait les belles voitures et j'ai dû cacher les clefs pour être sûre qu'il ne reprenne pas le volant. Je m'en veux, c'est atroce de faire ça… Il y a deux mois il est parti avec l'Alfa, il ne s'est rien passé, c'est un miracle qu'il ne se soit rien passé, mais il est revenu dans un état terrible, totalement… Totalement ravagé, oui.

Je la regardais sans l'aider. Je voulais qu'elle se débrouille toute seule avec ses décisions, même si j'avais envie moi aussi de courir chercher Dario, même si j'avais envie de crier son nom dans le jardin.

— C'était un homme si gai, tellement à l'aise, je l'appelait « l'invitato », l'invité, parce qu'il avait toujours l'air d'avoir été convié. Il entrait dans une pièce, il marchait sur une plage, dans la rue, avec le sourire de celui qu'on attend toujours, vous comprenez ?

— Il était comme cela déjà. A 17 ans.

Je crois qu'elle m'a regardée, vraiment regardée, pour la première fois. Elle est passée par-dessus sa douleur, et a osé me voir comme une femme qui savait des choses qu'elle ignorait. Puis elle a baissé la tête pour regarder ses lunettes de soleil qu'elle manipulait fébrilement de ses jolis doigts bagués, ses mains brunes sur lesquelles déjà quelques taches apparaissaient.

— Parfois je me maudis de lui avoir donné ce surnom… L'invitato… Parfois il me regarde comme si la vie était une réception qui venait de se terminer, il est comme un homme qui a mis son manteau et va soulever son chapeau pour vous saluer avant de disparaître.

Elle s'est adossée au fauteuil, les bras écartés, le visage ouvert et je savais qu'elle n'en dirait pas plus, elle n'était pas une femme de confidences.

— Dario est ingénieur, vous savez ?

— Non. Comment l'aurais-je su ?

— Il travaillait au port. C'est un endroit où je ne vais presque jamais. Il aimait son travail. Beaucoup.

— Il aimait tout ce qu'il faisait.

Je venais de faire une entaille à ses prérogatives. J'ai continué :

— Et tout le monde l'aimait. Je veux dire… à Aix, cette année-là, Dario était le rêve de toutes les filles, le garçon qu'elles aimaient et qui… Dario allait avec chacune d'elles.

Elle a eu un petit rire blessé :

— Dario est un homme fidèle.

— A vous, oui.

— Pas à vous ?

— Nous, c'était différent.

— Je crois que nous devrions aller au port.

— Comment aurait-il fait pour y descendre ?

Elle s'est levée d'un bond et en souriant elle a dit :

— Il fait du stop, imaginez-vous !

Le port ressemblait à une ville ancienne au rythme immuable et chargé, qui charriait les mêmes hommes, les mêmes marchandises depuis des siècles, et les bruits se répondaient toujours les mêmes, les sirènes, les cris, les ordres, et entre les bateaux les mêmes entraves, dans l'air les odeurs de cambouis et de rouille, et les reflets de la ville sur les eaux sales où flottaient des poissons crevés. Il y avait des ferrys aussi, des navettes pour touristes, le port de Gênes expliqué en plusieurs langues, juste une brochure, un nom pour Tour Operator, et la mer qui n'était jamais prise par ces bateaux-là semblait posée comme un tableau que les touristes regardent en penchant la tête, et dont ils se détournent sans émoi et sans n'y avoir rien vu.

Nous avons marché longtemps Giulietta et moi, nous avons croisé des hommes tous différents et qui nous apparaissaient tous semblables puisqu'aucun d'eux n'était Dario. Même si parfois la forme d'un visage, une façon de marcher, un geste de la main… mais c'était juste un éparpillement de l'homme que nous cherchions, des similitudes qui nous faisaient espérer une seconde que nous le connaissions encore et qu'il était juste et sensé de le penser et de le chercher ici, dans le port de Gênes. Puis Giulietta m'a désigné un bâtiment arrondi dont les grandes baies vitrées donnaient sur le port. On y organisait la majeure partie du trafic international depuis Gênes, c'était la société qu'avait dirigée Dario pendant plus de vingt ans.

— C'est peut-être là qu'il faut le chercher, j'ai dit.

— On m'aurait appelée s'il était là, elle a répondu avec un agacement soudain.

— Non, ce que je veux dire c'est que peut-être... ce serait bien de parler avec les gens qui travaillaient avec lui. Savoir s'il s'est passé quelque chose... Dans sa vie... Au travail...

— Je ne pense pas que les gens qui travaillaient pour Dario aient envie de parler à sa femme.

Elle est devenue sombre, et puis fébrile subitement. Elle m'a dit :

— A vous, peut-être ? A vous peut-être ils accepteraient de parler ! On leur dirait que vous êtes... une amie. Très proche. Qui mène son enquête, hein ? On pourrait dire ça. On va le faire. On va faire ça !

Elle était enthousiaste, nerveuse, sûrement épuisée de n'arriver à rien depuis un an.

— Je ne parle pas italien, j'ai dit.

— Les autres ingénieurs, ceux qui travaillaient sous ses ordres parlent français sans problème. Anglais aussi.

— Pourquoi est-ce que les ingénieurs souhaite-raient m'aider ? Qu'est-ce que vous voulez que je leur dise ? Qu'est-ce que je pourrais bien leur demander ? Je ne sais rien de lui, absolument plus rien.

— Je ne pensais pas que je vous amènerais ici, je pensais que ce serait plus simple, que Dario quand il vous verrait... Il ne vous a pas reconnue ? Je veux dire, il n'y a pas eu... un mouvement ? Un geste ?

— Je vous l'ai déjà dit : non.

Je ne lui dis pas que j'étais venue pour rien parce que Dario était parti dans un monde au seuil duquel il était depuis toujours, et qu'aucun ingénieur, aucune promenade dans la colline ne le feraient revenir. Maintenant que j'étais là je décidais de jouer le jeu, pour elle, parce qu'elle l'aimait et n'avait pas vu son monde disparaître. Elle me faisait penser à ces femmes qui marchent dans les décombres de leur ville bombardée et cherchent leur maison, et se réjouissent de reconnaître une porte. Même si elle n'ouvre plus sur rien. Même si tout autour les murs sont effondrés.

Je n'ai pas parlé aux ingénieurs ce jour-là. Un ami venait de retrouver Dario, il a appelé Giulietta sur son portable et nous sommes rentrées à La Florida. Etrangement cet appel, loin de la rassurer, l'avait mise dans un état proche de la panique. Je lui demandai pourquoi.

— Ce n'est pas la première fois qu'on le retrouve sur cette route. J'aurais dû y penser. Quelle idiote de ne pas y avoir pensé !

— L'important c'est qu'il soit rentré, non ?

— Bien sûr.

Ils nous attendaient tous les deux dans le petit salon, Luigi cet ami, et Dario. On aurait pu croire, en les voyant assis calmes, élégants, écoutant un concert de piano à la radio, qu'il s'agissait d'un moment privilégié dans leur journée, que c'était une habitude peut-être qu'avaient ces deux amis d'écouter la retransmission d'un concert comme deux mélomanes partageant la même passion et la même connaissance de Chopin ou de Bach, des hommes qui n'hésitaient pas à partir ensemble pour un concert à Milan, Londres ou Paris, n'étaient pas toujours d'accord sur la sensibilité d'un interprète ou la direction d'un chef d'orchestre, et pouvaient en débattre des nuits entières en buvant leur cognac préféré.

Mais c'était juste deux hommes : un qui surveillait l'autre, et l'autre qui se résignait. Luigi est parti très vite après que nous fûmes arrivées, en lui disant au revoir, il a chuchoté à Giulietta :

— Un jour il va arriver quelque chose... Il marche... presqu'au milieu de la route cara, je ne dis pas ça pour t'inquiéter, mais ferme la grille et cache les clefs, ne le laisse plus sortir... C'est la troisième fois sur cette route ! S'il te plaît !

Giulietta n'a rien répondu, alors il l'a serrée très fort contre lui, longtemps, et j'ai pensé que le jour où Dario mourrait il aurait ce geste exactement, et qu'elle retrouvait dans l'odeur de cet homme, dans sa tendre brusquerie, ces jours où il ramenait Dario et où il la serrait contre lui, et peut-être tous deux savaient-ils ce que cette étreinte annonçait, à quel jour terrible elle les préparait.

Quand il a été parti nous sommes restés tous les trois à écouter le concert. Nous ne bougions pas, nous ne disions rien, et entre deux mouvements, les raclements de gorge, les toux légères n'étaient pas les nôtres. Le public vivait plus que nous, et nous avons laissé la lumière descendre sans allumer de lampe. Lorsque le concert s'est terminé les applaudissements ont surgi et on aurait pu croire que c'était notre trio qui était ainsi félicité pour son calme et son attention. Giulietta s'est levée, elle a éteint le poste, allumé la lumière et est sortie en disant qu'elle allait nous préparer « une petite dînette ».

J'ai posé ma main sur celle de Dario. Elle avait changé, elle était plus épaisse, les ongles mieux coupés, et l'alliance était là depuis si longtemps qu'elle semblait presque incrustée dans la peau. J'ai caressé longtemps cette main, les années et le travail de cette main, je l'ai serrée fort.

— Aujourd'hui je suis allée sur le port, j'ai dit, je ne savais pas que tu travaillais sur le port. Que tu étais l'Ingeniere... Que tu aimais les voitures de luxe, ça non plus je ne le savais pas. La musique tu l'aimes toujours. Tu veux que je remette la radio ? J'aimerais aller avec toi sur cette route. J'ai trois filles, tu te rends compte ? Elles s'appellent Zoé, Pauline et Jeanne. Elles sont parties. Les chambres sont vides. Comme ici. Des maisons, des appartements sans enfants... Un jour on ne les attend plus. Elles prennent rendez-vous pour venir chez moi, elles téléphonent avant, comme chez le médecin, oui... La première fois que je t'ai vu tu embrassais Magali Finel, les Stones chantaient « Angie », on était plus jeunes que mes filles, et maintenant regarde : on a 50 ans... On a beaucoup travaillé. On a souvent pleuré. On a été heureux aussi... bien sûr on a été heureux. Et puis souvent on a cru qu'on n'allait pas y arriver. Toi, tu es riche. Tu y es toujours arrivé… Ça n'a plus d'importance. Je veux dire : qu'on soit riche ou pas, maintenant… On a 50 ans. Ta femme est belle. Et toi tu es… juste un peu plus large, la vie s'est infiltrée sous ta peau, dans tes os, l'air, le soleil, la musique… Tu as fait arriver et partir des bateaux dans tous les pays, mais tu marches au milieu de la route. Giulietta elle dit que les bateaux tu ne le prenais jamais. Tu me montreras la petite chapelle si tu veux ? Je suis mariée depuis très longtemps. C'est un homme qui a toujours voulu que je sois bien, il a pensé à ça tout le temps, il a voulu ça pour moi pendant vingt-cinq ans. Quand tu es parti, quand ta mère t'attendait à la voiture, on se disait au revoir dans la pinède, il faisait un peu froid quand même, on était en septembre mais quand même… Je ne sais pas combien de temps il nous reste à vivre. De toute façon, ce n'est rien. Mais tu devrais vivre le temps qu'il te reste, tu ne devrais pas faire ce que tu fais…

J'ai posé ma tête sur son épaule. Il y avait sa peau. Le sang sous la peau. Le galop dans les artères. Et les veines si fines. Celles à ses tempes. Ses poignets. Et celle que j'aimais le plus, au creux du cou sous la pomme d'Adam. Il m'avait écoutée sans rien dire. Sans réagir. Mais avant que Giulietta ne revienne, il a posé sa main contre mon visage, comme on pose la main sur le front d'un être fatigué, avec une tendresse sans arrière-pensée, une attention qui ne demande rien.

Le lendemain Giulietta nous a conduits dans la colline où il y avait cette chapelle abandonnée que Dario aimait. Elle a arrêté la voiture sous un arbre et dit qu'elle nous attendait. Avant de descendre j'ai vu son regard vers moi dans le rétroviseur, qui disait une fois de plus que je pouvais, que je devais tout tenter, c'était insupportable soudain, et je me suis demandé si elle aimait Dario ou s'il y était juste une obsession : elle refusait la déliquescence de leur couple, ce mariage exemplaire qui sombrait dans le ridicule. Dario sentait-il cela aussi, lui faisait-il payer par son silence vingt années de vie outrageusement exposée, le spectacle permanent de leur amour… ?

Nous sommes sortis de la voiture et nous avons marché tous les deux vers la chapelle. Je revoyais le regard noir de Giulietta dans le rétro, entre provocation et encouragement, et j'ai pensé que cet instant ne nous ressemblait pas à Dario et à moi, cet instant n'avait rien de vrai. Il était calculé et prévisible. J'ai pensé que je ne voulais pas vivre cette médiocrité-là avec lui. J'ai pensé qu'il n'avait pas l'air d'un homme qui aime cet endroit plus qu'aucun autre, et je ne

voyais pas pourquoi soudain son cerveau se remet-
trait en marche parce qu'on était dans cette colline,
semblable à tant d'autres, les chardons, l'herbe brû-
lée, les arbres tordus. Et aussi j'ai pensé que j'étais en
train de saccager mes plus beaux souvenirs.

— Parfois on en a marre, j'ai dit soudain, marre
de ce que les autres attendent de nous tu ne crois
pas ? Qu'est-ce que tu veux ? Qu'est-ce que vous
attendez tous les deux ?

Je me serais peut-être arrêtée là, s'il n'avait pas
souri. J'aurais peut-être fait ce qu'on attendait de
moi, s'il n'y avait pas eu ce sourire, expression
immaculée, inchangée depuis toujours. Mais il a eu
ce sourire qui disait qu'il m'avait entendue, et com-
prise, qu'il pensait quelque chose peut-être de ma
colère et de mon refus. Sans ce sourire je serais
entrée dans la chapelle déserte et j'aurais regardé le
bénitier sans eau, les traces des tableaux disparus sur
les murs fendus, le livre de prières par terre près des
crottes de souris, j'aurais hoché la tête en regardant
la lumière s'infiltrer par les vitraux brisés, et disant
que je comprenais qu'il vienne là, vraiment, comme
il devait s'y sentir bien, car la vie n'était-ce pas ça et
seulement ça : un lieu saint saccagé ? Alors comme il
n'aurait pas réagi j'aurais pensé à sa femme dans la
voiture bien sûr, qui attendait en regardant sa montre : combien de temps mettra-t-elle la Française
pour qu'il cause enfin, d'une façon ou d'une autre ?
Et surtout d'une autre, d'ailleurs. Etait-il encore
capable le beau Dario, d'être un homme ? En

243

avait-il encore envie ? Et pourquoi ne lui apportait-elle pas de frais jeunes hommes, des voyous du port pas farouches ? Transgression pour transgression, autant jouer le jeu à fond, après tout. Mais il a souri, alors je lui ai parlé. Exactement comme j'en avais envie. Sans essayer de l'attirer ni de le bouleverser d'aucune façon.

— Toi, tu as toujours été celui qu'on voulait qu'il soit. Un fils exemplaire. Un amant multiple. Un mari riche et beau. L'Ingeniere parfait. Ça fait combien de temps, Dario ? Que tu attends que ça finisse, la perfection ? Peut-être que tu n'as rien à dire ? Peut-être que tu n'as jamais rien eu à dire. C'est ridicule à 50 ans d'avoir écrit sur moi, cette nostalgie d'homme qui vieillit et franchement, tu avais laissé traîner tout ça pour que la belle Giulietta le trouve, hein ? Tu aurais pu la tromper, moins original je te l'accorde, mais enfin, ce romantisme pathétique… Tu l'as peut-être trompée d'ailleurs, qui sait. Des femmes moins belles, qui plaçaient la barre moins haut, avec lesquelles tu pouvais te laisser aller et qui t'acceptaient médiocre, défaillant, fatigué. Mais Giulietta… si tu tombes, elle tombe aussi, c'est le drame des grandes amoureuses et des bourgeoises, le drame des jolis couples… On ne peut pas gagner sur tous les tableaux, un jour ou l'autre le bonheur se paye.

Il s'est adossé au mur, le salpêtre tombait sur son dos. Il avait mis ses mains dans ses poches et il m'écoutait.

— Et maintenant, j'ai dit, tu joues le grand ingénieur malade, l'homme blessé, et les femmes viennent à ton chevet, se penchent sur ta douleur, on te perd, on te ramène, on s'inquiète, faut-il verrouiller les portes, cacher les clefs, alerter la police, et ta femme qui sera canonisée de son vivant, c'est admirable ! Ainsi, même dans la maladie vous êtes exemplaires, tellement différents des autres, ceux qui passent des IRM et avalent des cachets, non vous c'est plus… c'est plus artistique quand même !

Il m'écoutait attentivement et me regardait en penchant la tête, exactement comme sur la place des Prêcheurs trente ans auparavant lorsqu'il m'attendait et que j'allais à lui, heureuse, la vie plantée en moi comme une certitude. Alors j'ai continué.

— Tu sais tout ce que j'ai fait pour être ici ? J'ai roulé seule depuis Paris, j'ai rencontré des gens ordinaires, des gens vraiment, vraiment sur le bas-côté de la vie, des minables, des paumés, des mongoliens, des femmes dans des caravanes sans roue, des barmaids sur l'autoroute, des faux magiciens, et ma fille aussi, et ma sœur, ma vieille petite sœur, tu te souviens de Christine ? « C'est ma prière ! » ? J'ai rencontré des gens qui ne vivent pas sur les hauteurs face à la mer, des gens les deux pieds dans la vase, et qui ne font pas de mystère. Tu comprends ça, Dario ?

D'un léger mouvement d'épaule il s'est dégagé du mur, il a sorti les mains de ses poches, il ne souriait plus en s'avançant vers moi, il était grave, comme un homme qui a dans le regard une vie entière et qui en une seconde la fout par-dessus bord.

Il a posé ses mains sur mon visage et ses lèvres sur les miennes. Il est devenu flou dans mon regard si proche et proche à l'intérieur de moi, en secret. C'était le même parfum, familier, rassurant, la même dérive trente ans après, nous avons respiré ensemble dans un basculement du temps, instant inatteignable, incroyable, car qui pourrait le croire, comment oser ? Avait-il réellement envie de m'embrasser moi, comme auparavant, ou retrouvait-il dans son incertitude, ce réflexe ancien ? Allait-il à moi ou faisait-il une fois de plus, ce qu'on attendait de lui ? Moi, c'était lui que j'embrassais. J'embrassais le temps perdu et le passé obsédant, j'embrassais la jeunesse révolue, le gouffre tout proche et mon premier amour, pour la dernière fois.

Nous sommes restés au seuil de l'adolescence, nous sommes restés au baiser, à cette intimité suprême du baiser, des lèvres confondues, des langues qui se cherchent et s'accordent, et par ce baiser, si long, différent toujours, impudique et généreux, dans cette chapelle en ruine, nous avouions que la vie au moins une fois avait eu un sens et une saveur. La vie, au moins une fois, avait été sacrée.

J'étais décidée à repartir l'après-midi même. Après la chapelle, il avait bien fallu rentrer, rejoindre Giulietta à la voiture, qui attendait Dario comme sa mère l'avait fait trente ans auparavant dans la pinède le jour des adieux, et si j'avais eu la permission d'une heure, je n'aurais pas droit à plus je le savais. A moins que cette femme ne soit définitivement folle ou perverse, jamais elle ne me laisserait vivre une nuit de plus sous son toit.

Elle nous attendait en téléphonant adossée à la voiture, et a raccroché dès qu'elle nous a vus, et regardés avec une stupeur muette. Je lui ai adressé un sourire sans équivoque, avant de lui rendre définitivement l'homme qu'elle aimait. Elle lui a ouvert la portière, mais lui a évité la voiture et pris à pied le petit chemin qui descendait jusqu'à la route.

— Il faut le laisser, elle m'a dit, on le retrouvera en bas, montez !

Je suis montée à l'avant cette fois-ci, à côté d'elle. Elle était envahie de questions qu'elle ne poserait jamais et qui n'avaient pas fini de la tourmenter. La voiture a dépassé Dario, pour l'attendre quelques mètres plus bas.

— Je repars tout à l'heure, j'ai dit.

— Vous aviez dit demain.

— J'ai changé d'avis.

— Vous aviez accepté de parler aux ingénieurs, sur le port.

— C'est à vous d'y aller, vous êtes sa femme.

— Ce sont des hommes durs. Ils ne m'aiment pas. J'ai peur d'y aller seule.

— Pardon ?

— J'ai peur de tous ces gens qui me parleront de lui. J'ai peur qu'ils en parlent mal, c'est horrible d'avoir besoin d'eux, pourquoi a-t-on besoin des autres à ce point-là ? Pourquoi est-ce que vous refusez que votre mari vous rejoigne ?

— Vous écoutez aux portes ?

— Depuis la maladie de Dario j'écoute aux portes, je fouille ses papiers, je mets des cierges à sainte Rita, pourquoi est-ce que vous ne voulez pas qu'il vienne ?

— Ça vous arrangerait, maintenant ? Qu'il vienne ?

— Il sera là ce soir.

Et avant que j'aie pu dire quoi que ce soit, elle est sortie de la voiture pour accueillir Dario qui arrivait à sa hauteur. Elle l'a embrassé doucement, a remis son col droit et épousseté sur ses épaules les toiles d'araignée et le salpêtre. Elle reprenait ses droits. Lui, son air impassible, un peu perdu.

— Emilie reste un peu plus longtemps que prévu, elle a dit tandis qu'il montait à l'arrière.

Puis elle s'est tournée vers moi :

— Marc prend le vol de 20 h 50 ce soir, ce serait dommage que vous vous croisiez.

Et tout bas elle a rajouté :

— Je dépose Dario à la maison, puis nous irons au port.

A ce moment-là j'aurais dû la détester. Mais Dario avait posé sa main sur sa nuque, tandis qu'elle conduisait, et je les ai trouvés tous les deux fous. Et admirables.

Arrivés à La Florida ils se sont isolés un moment dans le petit salon. J'en profitais pour téléphoner à Marc, il faisait une course et ne pouvait pas vraiment me parler. J'entendais « La vie en rose » et lui demandai s'il trimbalait des Américains, mais c'était des Japonais, fans de Marion Cotillard, le monde est étrange.

— La femme a déjà fait deux malaises depuis qu'ils sont à Paris, elle trouve que les Parisiens sont agressifs, mal habillés et absolument pas romantiques, elle m'a dit tout ça dans un anglais approximatif et je leur fais faire un tour du Paris d'autrefois tout en restant constamment à proximité d'un hôpital, elle craint de faire un nouveau malaise.

— Tu tournes autour de l'Hôtel-Dieu ?

— L'Hôtel-Dieu, Trousseau, Cochin, il faudra me désensibiliser à Edith Piaf je fais un début d'allergie.

— Tu auras le temps de faire ta valise ?

— Elle est dans le coffre. Giulietta n'a pas su tenir sa langue à ce que je vois… Yes ! Yes ! The famous Jardin des Plantes, « Garden Plants »…

— Tu l'appelles « Giulietta », vous êtes drôlement intimes !

— Moins que son mari et toi, je te rassure. Yes, la Salpêtrière was a famous hospital for crazy women, yes crazy women, il faut que je te laisse, ils ont envie de crêpes, je les dépose à Montparnasse.

— Il y a un hôpital à Montparnasse ?

— Un hôpital, une gare et la statue de Rodin… Je t'embrasse.

Et il a raccroché.

Je souriais malgré moi de la façon qu'avait Marc de me signifier que ce que je faisais à Gênes n'avait pas d'importance. Il avait toujours décidé que nous allions bien, il fallait avancer en se prenant pour deux optimistes pressés qui remettent à plus tard les questions dangereuses, avec l'espoir que lentement le temps les efface et que le bonheur de vivre l'emporte sur la douleur. C'était un pari dans lequel je l'avais suivi malgré moi, ne sachant pas si j'avais au fond du ventre une bombe à retardement ou si la joie l'emporterait au bout du compte.

Me parvenait, depuis le petit salon, le monologue de Giulietta… La domestique devait leur servir le thé, j'entendais des allées et venues, la table roulante et le cliquetis des tasses en porcelaine. Je montai dans le bureau de Dario.

La fenêtre face à la Méditerranée était grande ouverte, je n'entendais pas la mer, elle était lointaine comme le monde que l'on voit depuis sa fenêtre lorsque l'on est malade, cette sensation aiguë d'être posé au bord de la vie, cette impossibilité malgré la volonté d'en faire de nouveau partie, et les sons les plus familiers nous parviennent assourdis et abstraits. Nous, nous demeurons dans notre solitude engourdie, cette paresse qui n'en est pas une mais contre laquelle nous ne pouvons plus lutter. On lâche la main du monde, doucement, on voit bien que l'on glisse, que l'on tombe, et malgré l'étonnement que cela advienne DÉJÀ, on se résigne, et on sourirait presque d'en avoir fini enfin, n'était la peur de ce que le vide nous réserve. J'étais dans un lieu où le passé est plus proche que le présent, plus tangible et vrai, où il a une signification et un sens. Aujourd'hui ne voulait plus dire grand-chose et les heures s'inscrivaient dans la lumière mais pas dans les corps, c'était la vie en surplace, à devenir fou.

Je me suis approchée du bureau de Dario, je me suis assise à sa place, dans le grand fauteuil en cuir brun et j'ai ouvert un tiroir. Puis un autre. Puis encore un autre. J'ai fouillé dans chacun, avec méthode et calme. Factures, programmes de théâtre et d'opéra, photos de Giulietta, toujours belle et souriante, dans des villes, sur des terrasses, des routes, des plages lointaines, un monde parfait pour un couple à l'aise qui sait voyager, a des amis dans les grandes capitales, des habitudes à New York, Bombay ou Saint-Rémy-de-Provence, qui calcule le monde en heures de vol, et le parcourt avec la grâce de ceux qu'aucun décalage, aucune nourriture, aucun climat jamais n'indisposent, mais soudain la petite mécanique de Dario avait grippé. Et son joli monde était devenu blanc.

Simplement et également blanc.

Un miroir. Une vitre. Une transparence aurait été mieux. On aurait pu s'y refléter, y deviner des contours, chercher un appui. Mais c'était juste blanc. Pas une tache. Une empreinte. Juste un grand blanc sans égratignure. Je voulais trouver ces pages qu'il avait écrites sur moi, non par curiosité narcissique, nostalgie ou rancœur, mais parce que dans cette chapelle aussi vide que le présent de Dario, je n'avais pas tenu un fantôme dans mes bras, j'avais reçu un homme qui me donnait ce qu'il m'avait déjà donné, j'étais inscrite en lui et il ne l'avait pas oublié, j'en étais certaine.

Je trouvais des photos de Dario à 20 ans, puis plus tard, encore plus tard, toujours plus tard, il accueillait lentement le temps dans son corps, sa peau, ses cheveux, et le temps l'avait caressé avec tendresse, il était beau toujours, et sans effort, il passait au-dessus du monde et recevait les années comme un petit vent, une brise naturelle et inévitable. Il souriait au volant de voitures de course, Mercedes décapotables, il était fier, accoudé à la vitre ouverte, le pied sur l'accélérateur il attendait que la photo soit faite pour prendre la route et tout son plaisir retenu était dans son sourire gourmand, son regard un peu hautain et amusé.

— Ce que vous cherchez n'est pas dans ce bureau.

Giulietta est arrivée sans que je l'entende, elle me regardait sans surprise et sans sympathie. Je n'ai pas bougé du fauteuil, je l'ai fait pivoter pour me tourner lentement vers elle et j'ai refermé les tiroirs.

— Dans votre bureau, alors ? j'ai demandé.

Elle s'est approchée pour remettre en place une photo de Dario que je n'avais pas rangée.

— Je ne sais pas quoi faire avec ses voitures. Avant sa maladie, il conduisait la Porsche tous les jours, et puis un jour il a… il a balancé les clefs dans la mer. C'est incroyable, non ? Il ne voulait plus la conduire. Il avait commandé l'Aston Martin déjà… je veux dire… quand on la lui a livrée, il ne parlait déjà plus. Et finalement c'est moi qui ai caché les clefs des autres voitures… Je vous l'ai dit déjà. On ne sait plus quoi faire. Avec les portes. Les portières. On ne sait plus du tout quoi faire avec les clefs. Vous n'aviez pas besoin de fouiller dans ses affaires, je vous aurais montré ce que vous vouliez voir, il suffisait de me le demander.

— Vous pouvez comprendre non, vous aussi vous fouillez dans les tiroirs, vous écoutez aux portes, vous me l'avez dit.

— Il ne faut pas croire tout ce que je vous dis.

253

— J'avais cru remarquer.

— A vous je n'ai pas menti.

— Vous n'aurez jamais la sensation de mentir, vous ne savez absolument pas ce qu'est la vérité. Vos repères « sincérité » sont totalement brouillés. Vous avez fait quoi, tout ce temps où j'étais dans la chapelle avec votre mari ?

— J'ai attendu.

— En téléphonant au mien ?

— Levez-vous s'il vous plaît, je vais remettre les papiers en ordre.

Je me suis levée et je l'ai laissée ranger les tiroirs, sans cesser de la regarder.

— Ça lui a fait du bien à Dario, ce moment dans la chapelle ?

Elle a marqué un temps d'arrêt, un peu surprise, puis elle a souri.

— Ce qui est terrible maintenant avec Dario c'est que je ne sais jamais si la vie va le réveiller ou l'anéantir… Je ne sais pas si c'est bien, si c'est bon pour lui de vous avoir retrouvée, si c'est un beau bouleversement ou une catastrophe. J'improvise vous savez, j'improvise tous les jours, je ne sais plus quoi faire… Jusqu'à l'amnésie de Dario, j'avais tout reçu de la vie, Dario me disait « nous partons demain », « j'ai réservé ceci, cela », « j'ai une surprise, un cadeau »… Vous, vous êtes forte, vous avez su avoir des enfants, les élever, garder un homme, travailler, vous êtes une femme entière, surprenante, vous êtes venue jusqu'ici toute seule, en voiture… Je n'aurais jamais su faire ça, je n'aurais jamais eu votre courage. Et maintenant, à cause de mon attitude incompréhensible vous êtes obligée de faire ce que vous n'avez jamais fait, je le sais, vous fouillez en cachette... Je m'excuse pour ça.

Et comme elle n'était pas femme à s'attendrir plus longtemps, elle a enchaîné :

— Il est temps d'aller au port.

Et une fois encore, je l'ai suivie.

Daniele Filippo, l'ingénieur qui travaillait le plus étroitement avec Dario, a marqué un léger agacement quand il a vu Giulietta entrer dans son bureau. Et avant qu'il ait pu dire quoi que ce soit, elle lui a expliqué très vite et en français que c'était moi qui voulais le voir, une grande grande amie de Dario, j'avais tellement insisté, je venais de si loin, il fallait qu'il accepte de me parler. Il a dit qu'il était d'accord mais qu'il n'avait pas beaucoup de temps à nous consacrer. Derrière la baie vitrée de son bureau les bateaux avaient le dédain de ceux qui s'en vont lentement et sans remords. Le regard de Daniele sur nous était aussi désabusé et peu amène.

— Y a-t-il du nouveau avec les médecins ? Que disent les médecins ? il a demandé, en français et comme pour nous signifier que c'est eux que nous devrions consulter.

— Les médecins ? a répondu Giulietta, ils ne trouvent rien et vous le savez. Aucune anomalie au cerveau, tout a été envisagé, l'accident vasculaire cérébral, un traumatisme crânien, une tumeur…

Il n'a rien de tout cela. Mon amie voudrait savoir…

Il l'a interrompue, comme un professeur agacé par son élève, à bout d'indulgence :

— Il vous semble dément ? il a demandé.

— Pardon ?

— Je vous demande si votre mari vous semble dément.

Il y a eu un temps durant lequel ils se sont observés en mesurant leur degré d'antipathie. Je me sentais au-dessous de tout, il était temps que je prenne la parole, que je tienne mon rôle.

— Madame Contadino et moi, nous voudrions savoir si un choc psychologique pourrait être la cause de l'amnésie, j'ai dit. Nous parlons à tous ses proches, et Dario était proche de vous.

Il s'est raclé la gorge, un temps il a regardé au-dehors, le monde qui s'agitait en silence derrière les vitres épaisses, ces bateaux qu'il commandait, maintenant que Dario n'était plus là, n'était plus son supérieur.

— Vous n'avez rien remarqué, dans les jours qui ont précédé l'amnésie ? Il ne s'est rien passé ici, je veux dire : aucun problème au travail, aucun incident ?

Je me sentais totalement idiote avec mes questions banales, j'aurais donné n'importe quoi pour que ce type désagréable nous fiche à la porte.

— Non, je n'ai rien remarqué. Ça a été formidable de travailler toutes ces années avec lui. C'était un homme heureux. Je dois vous laisser, un rendez-vous important.

Avant de sortir Giulietta a jeté des coups d'œil dans la pièce comme si un objet, un détail auraient pu lui parler de Dario. Au seuil, elle s'est tournée vers l'ingénieur.

— Un homme heureux ? Vous voulez dire, à l'aise ? Généreux ? Gai ?

— Je veux dire heureux.

— Et ?

— Et un jour il ne l'a plus été. Du tout. Et je ne sais pas pourquoi.

Il a regardé sa montre. Puis Giulietta. Se demandant qui choisir…

— Mais vous avez dû le remarquer vous aussi, non ? Il est impossible que vous ne l'ayez pas remarqué, il a dit.

Un temps ils se sont regardés en silence, hésitants tous deux, puis soudain il nous a montré la sortie, d'un large geste de la main, Giulietta lui a jeté un regard noir qui disait que le duel n'était pas fini.

Alors nous avons marché toutes les deux dans le port, nous avons marché en silence dans la foule, en silence dans le brouhaha, la cohue, et puis nous nous sommes assises sur un muret, les jambes dans le vide, plus rien n'avait de sens, cette rencontre avec Daniele Filippo à laquelle Giulietta tenait tant avait le goût d'une étrange défaite. Et maintenant, que pouvions-nous faire ? Que nous restait-il à faire pour Dario ?

— Vos filles, elles s'appellent comment ?

— Mes filles ? Elles s'appellent Zoé, Jeanne et Pauline.

— Comment est-ce qu'on choisit le prénom d'un enfant ?

— Je ne sais pas... Pendant quelques mois on fait des listes, on prononce des prénoms qui ne seront jamais celui de l'enfant, des prénoms que l'on teste, on les lance comme ça devant les amis, le soir dans notre lit, à notre mère au téléphone... Et puis on les oublie...

— Un jour quand même on en choisit un.

— Oui. Un jour on en choisit un.

Elle regardait l'horizon en se mordant les lèvres, les yeux plissés, et je ne savais pas si elle essayait de retenir ses émotions ou de se rappeler précisément quelque chose. Je pensais que peut-être elle regrettait de n'avoir jamais eu d'enfant, que peut-être elle se disait que si elle en avait donné à Dario il ne la lâcherait pas comme ça, il n'abandonnerait pas leur duo. Et puis elle a soupiré, en hochant la tête plusieurs fois, et elle s'est tournée vers moi.

— Je vais vous montrer quelque chose Emilie.

Nous sommes reparties à la voiture. Dans le port un bateau arrivait en provenance de Malte, des touristes asiatiques se dirigeaient vers une navette en suivant le parapluie levé de leur guide, effrayés à l'idée de le perdre des yeux ils ne regardaient rien alentour. La pique d'un parapluie au-dessus du chaos du port. Ça pouvait être un horizon.

Bien sûr, m'avait dit Giulietta, ce n'était pas son salaire d'ingénieur qui permettait à Dario d'acheter des voitures de course. Ils avaient tous les deux beaucoup d'argent qui venait de leurs familles respectives, ça ne s'arrêtait pas, l'argent coulait comme ça d'une génération à l'autre, comme une rivière dans un terrain acquis depuis des siècles, évident et pérenne. L'argent était là. Après eux, qui n'avaient pas d'enfants, ça s'arrêterait. Ils feraient des dons, La Florida deviendrait une résidence d'artistes, on ferait des dossiers, des lettres, pour avoir le droit d'y aller, obtenir une bourse du ministère et poser son ordinateur ou ses pinceaux, ses partitions, dans une des chambres. Regarder la mer et regretter peut-être qu'elle aide moins à la concentration qu'un mur blanc ou les toits d'une métropole, se promener dans le jardin le soir et se sentir trop loin de la ville, trop violemment confronté à son métier, au résultat qui devait forcément surgir de ce séjour privilégié. La maison elle, demeurerait ¹a même, secrète, usée, toujours posée entre deux siècles, mais résistant de tout son orgueil, sa terrible beauté, une demeure qui avait plus de mémoire que le dernier de ses maîtres, plus de souvenirs que Dario, et qui avait abrité son absence avec autant de rectitude que sa présence. C'était toujours au bout du compte, la maison qui gagnait. En son sein les silhouettes changeaient, les vies, les généalogies, on pouvait naître et mourir, jouir et souffrir, apprendre des bonnes nouvelles ou des drames, courir ou peiner, se cogner la tête contre les murs ou danser dans la cuisine, appeler dans les escaliers, avec joie, avec rage, on pouvait poser ses valises dans le hall en criant « C'est moi ! » et recevoir l'odeur inimitable de la maison, entendre une porte claquer, des pas, un homme ou une femme qui bientôt serait dans vos bras. Les murs de la maison tenaient. Et entre ses murs tous ceux qui avaient eu, ne serait-ce qu'une seconde, le vertige de se croire immortels, mourraient, et d'autres venaient comme ça, des vagues de gens qui voulaient être heureux dans cette vie, dans cette demeure, et puis plus rien, des remplaçants toujours des remplaçants indéfiniment, et les murs de la maison se taisaient. Peut-être Dario était-il devenu cette maison. Peut-être était-il devenu celui qui voit et se tait, celui qui reçoit le tremblement du monde et attend que ça cesse, parce que cela cessera, forcément cela sera bientôt dérisoire et vain, le bruit de nos pas dans cet univers trop vaste pour nous.

Ce n'était sûrement pas l'avis de Giulietta, et sûrement elle aurait regretté ma présence si elle avait su à quel point je trouvais son agitation inutile, sa recherche perdue d'avance. Elle voulait me montrer quelque chose avec les voitures de course, « avec la Boxster Porsche », précisait-elle. Je me pliais à sa volonté, me demandant si c'était la femme amoureuse qui agissait en elle, ou la femme perdue.

N'aurait-elle pas dû se tenir tout près de Dario, le regarder en face, le regarder longuement et dire enfin, qu'elle était d'accord ? Mais alors il aurait fallu qu'elle coule avec lui, se laisse porter par sa dérive, et renonce. Or, elle était vivante et ne le suivait pas dans la mort, la vie n'est pas un poème.

— Regardez ! Regardez ça, vous en pensez quoi ?

Dans l'immense garage, elle a soulevé la bâche de la Boxster verte, une poussière grise a volé un peu avant de tomber sur nous, on aurait dit que la voiture soufflait cette poussière, je ne comprenais pas ce que Giulietta voulait que je regarde. La voiture était belle, neuve, inutile, les clefs jetées dans la mer et le prodigieux moteur, froid depuis longtemps. Etrange que Dario ait collectionné les voitures puissantes et ne soit jamais parti, je veux dire jamais parti vraiment.

— A l'avant, m'a précisé Giulietta, vous voyez ?

La carrosserie était abîmée. Presque rien. Mais abîmée. Un caillou, un mauvais créneau, un petit animal, un tout petit choc… et après ?

— Et alors ? j'ai demandé. Si vous saviez le nombre de fois où mon mari abîme son taxi.

Elle m'a regardée comme si j'étais la personne la plus déplacée de tout l'univers, la représentante d'une tribu étrangère. D'un geste furieux elle a remis la bâche et la voiture est redevenue cette forme inerte qui n'avait finalement pas grand-chose à livrer.

Giulietta m'a rejointe dans le jardin, la lumière était limpide, je me suis dit qu'il était dommage que Marc arrive de nuit et ne voie pas comme l'espace était vaste ici, rien de laid n'arrêtait le regard, et aussitôt j'ai réalisé combien j'étais heureuse qu'il me rejoigne, m'apporte un peu de notre vie, me témoigne une familiarité et une complicité rassurantes.

— Il a jeté ses clefs dans la mer, vous ne comprenez pas ? Vous êtes comme ces médecins qui pensent que c'était le premier épisode, oui ils disent comme ça « le premier épisode » de la dégénérescence cérébrale ? Un homme devient fou, il jette les clefs d'une Porsche et puis il se tait ? Je me souviens de ce soir où il est rentré, livide, bouleversé, et où il a bu toute la nuit. J'ai vu la voiture et j'ai pensé qu'il avait tué quelqu'un avec la voiture, il ne voulait rien dire, il ne me supportait plus, il ne supportait plus rien, je suis allée dans tous les hôpitaux, j'ai appelé des amis qui sont allés dans les commissariats et même les morgues, et rien, il n'y avait pas eu d'accident de la route ce soir-là, pas de mort violente à Gênes ce soir-là et j'ai pensé que c'était peut-être le seul soir de l'année où tout avait été calme à Gênes, le seul soir où tout s'arrêtait, la mort, la violence, et l'homme que j'aimais s'est arrêté aussi, nous sommes devenus le Vésuve vous comprenez ? Nous sommes au pied du Vésuve et c'est une vie figée, et vous ne voulez pas m'aider, vous ne le voulez pas, je le vois vous ne croyez en rien !

— Que voulez-vous que je fasse d'autre que ce que vous avez fait ? Et cet ingénieur, Daniele Filippo, vous croyez que je n'ai pas compris ? Vous harcelez cet homme depuis des mois, vous retournez au port, encore et encore, avec toujours les mêmes questions, et vous pensiez que si j'étais avec vous Filippo serait différent, il ne vous mettrait pas directement à la porte, c'est ça ? Maintenant la folle, c'est vous, aux yeux du monde c'est vous. Je ne peux rien faire pour ça.

Elle se tenait très droite, pas blessée par mes paroles, mais déterminée, encore plus déterminée si cela était possible.

— Il est arrivé quelque chose, je le sais. Vous devriez me croire et m'aider. S'il était arrivé quelque chose à une de vos filles, vous le sentiriez aussi sûrement que je le ressens pour Dario, et vous aussi vous passeriez pour folle. Je me suis dit que peut-être il avait une autre vie, et qu'il y avait eu un drame dans cette autre vie, j'ai interrogé des femmes qui se sont offusquées de mes soupçons, elles disaient que maintenant c'était mon tour de souffrir, et aussi que j'étais jalouse et que je voulais que les autres autour de moi souffrent aussi, je voulais défaire les couples, briser les mariages avec mes accusations malsaines, est-ce que je suis malsaine ? Est-ce que c'était malsain, la chapelle ?

— Il était vivant dans la chapelle.

— Vous voyez que j'ai raison. Il n'est pas dément. Il n'est pas sénile. Ni absent. Je l'ai toujours su.

Et après un temps elle a rajouté :
— Merci.

Et puis elle est partie. Elle m'a laissée seule, et je suis descendue pour voir la mer, je voulais quitter La Florida, cette maison de l'absence, cet avant-goût du précipice qui nous guette tous avec une patience teintée d'ennui et de paresse. Je pensais aux miens. Ma Christine qui vieillissait plus vite que nous, mon témoin des années perdues, mes premiers pas dans le monde des femmes, les apprenties femmes, les adolescentes maladroites et vibrantes, complexées et orgueilleuses, timides parfois puis soudain affranchies et elles-mêmes, fulgurances volées à l'éducation et à la peur. Ma Christine à l'unique chanson, à la mythologie de variété, au cœur généreux et malade, elle mourrait bientôt, mourrait avant sa petite sœur, avant sa mère et son père toujours âgé et qui n'en finissait plus de s'éteindre. Je descendais les jardins en terrasse, cette maison promise depuis toujours à Dario, qui y avait joué enfant, assis sur l'herbe ou le gravier, les petites voitures, les cyclistes miniatures, les billes, et puis un jour Giulietta à son bras, qui a laissé à Rome le grand appartement bourgeois et monte les escaliers tous les escaliers du jardin et croit de nouveau sentir dans son ventre toutes les vies qu'elle ne donnera jamais. Je pensais à ma mère qui avait vécu sa vie de femme sur la promesse faite à un mourant, cette vie éteinte avant d'avoir brillé et qui ne saura jamais ce qu'elle a perdu, mais toujours la tristesse la nimbera comme une lumière du soir, cette heure trouble entre chien et loup qui n'est plus le jour, pas encore la nuit, et à laquelle l'œil a tant de mal à s'adapter. Entre chien et loup, ma mère, domestiquée, vendue, promise à la résignation, et pourtant… son poing fermé dans le collant couleur chair au Monoprix d'Aix-en-Provence en 1973. Et la vendeuse qui la regarde comme ce qu'elle est devenue : une femme terne, une femme démunie, une femme seule, et qui ne saura jamais que si seulement ce jour-là elle lui avait dit « ce collant couleur chair vous ira très bien madame, il est fait pour vous », peut-être la vie de ma mère aurait été changée. Un tout petit peu.

Je suis sortie de La Florida, j'ai marché le long de la route qui descendait par lacets successifs jusqu'à la mer, et je pensais à Dario qui marche maintenant au milieu d'une route toujours la même, et qui franchirait les grilles si elles étaient cadenassées, et qui franchirait les murs, les fenêtres et toujours, toujours se retrouverait à marcher sur cette route, et j'ai revu le tout petit choc à l'avant de la Boxster verte et soudain j'ai fait demi-tour, j'ai couru dans le soleil, couru jusqu'à Giulietta, parce que maintenant je le savais. Elle avait raison. Il était arrivé quelque chose ce soir-là avant que Dario ne rentre la Porsche dans le garage, puis la recouvre d'une bâche, puis descende à la mer y jeter les clefs, empruntant pour cela le même chemin que moi aujourd'hui.

— On va aller avec toi sur cette route où tu aimes marcher… Tu veux ? Oui ? Il fait bon, on va être tous les trois… d'accord ? On y va maintenant ? Tu es d'accord ? Dario on part maintenant, tous les trois sur cette route… Tu viens ? Viens avec nous. Viens… Tu viens ?

Giulietta et moi nous tenions face à Dario, guettant sinon son assentiment, au moins un signe qu'il ne s'opposerait pas à notre proposition. Nous voulions l'accompagner là où il aimait aller seul : cette route sur laquelle à plusieurs reprises il avait été retrouvé. Nous nous étions à peine concertées, obéissant à un sentiment diffus, une sorte d'urgence un peu déraisonnable. Et maintenant nous disions les mêmes phrases elle et moi, nous nous autorisions la même tendresse un peu fébrile pour le même homme, et nous étions d'accord : un choc émotionnel était à l'origine de son amnésie. Quelque chose l'avait fait basculer, quelque chose le hantait et l'obsédait, et il fallait qu'il nous le désigne. Le neurologue avait dit à Giulietta qu'il était fréquent que les amnésiques marchent droit devant eux, partent et marchent ainsi au milieu des routes, et pourtant nous étions certaines que les fugues de Dario ne devaient rien au hasard. Il n'était pas un homme du hasard, et le rencontrer était déjà le signe d'une élection. Cette journée, la dernière que je passais à La Florida, nous la vivions je m'en rends compte à présent, comme une dernière chance. En tentant de le convaincre de partir avec nous sur la route, avec nos injonctions répétées encore et encore, nous étions comme ces femmes penchées sur un blessé et qui lui ordonnent de ne pas s'endormir, car plonger dans le sommeil serait plonger dans une mort inévitable. Nous voulions le tenir au bord de son émotion et qu'une parcelle de vérité en surgisse, et alors nous aurions tenu cette vérité-là comme une main amie, une bouée de secours.

J'aime à penser qu'à ce moment-là, alors que nous tentions de le convaincre de partir avec nous, il a aimé nous voir unies, Giulietta et moi, ses deux femmes : celle de ses 17 ans, et celle de ses années d'homme. Et qui sait si au fond de nous, plus qu'un amant ou un mari retrouvé, nous n'avions pas le désir de rendre à sa mère l'enfant qu'elle avait si follement et si justement aimé, et dont la grâce avait bouleversé nos vies ? Qui sait si ce n'est pas à la vie elle-même que nous voulions rendre justice, en replaçant Dario en son centre, comme on place la poésie au cœur de toute chose, pour éloigner la vacuité d'un monde qui ne serait que ce

que l'on en voit, qui ne signifierait que ce que l'on
en prend, un monde sans magie, sans sainteté, un
monde que l'on comprendrait. A en devenir fou de
désespoir.

Nous avons marché tous les trois lentement sur cette route, celle où l'on retrouvait toujours Dario et qui menait au village de Certosa, un peu plus loin derrière La Florida, une route étrangement droite pour cette région escarpée, et faite de descentes et de montées qui découvraient des rubans d'asphalte tremblants dans la lumière.

Il était encore tôt dans l'après-midi et nous allions en silence, sans sentir d'abord la chaleur de ce soleil de juin, sans sentir la soif, mais derrière notre apparente quiétude se cachait une appréhension, nous guettions un résultat et n'osions parler, de peur de briser une habitude silencieuse, l'habitude de Dario à être ici même un piéton solitaire, inconscient de mettre sa vie en danger, ou au contraire guettant l'accident, le convoquant par une passivité exposée.

Il y avait quelque chose d'insoutenable dans la façon qu'il avait de regarder devant lui, comme s'il absorbait le paysage. Il allait vers l'horizon, sans buter, sans fléchir, nous l'avons suivi ainsi plus d'une heure sur le bas-côté de la route, effrayées à chaque passage de voiture, l'observant le plus discrètement que nous le pouvions, mais pas une seule fois il n'a tourné la tête pour regarder autre chose que la ligne droite de la route, pas une seule fois il n'a sursauté au bruit d'un moteur, au cri d'un oiseau, rien ne l'a détourné de cette concentration qu'il mettait à avancer toujours. Il n'avait plus rien de cet adolescent qui allait avec une souplesse hésitante, une désinvolture discrète, on aurait dit au contraire qu'il obéissait à un ordre secret, venu directement du fond de l'asphalte, venu de la terre, de ses entrailles, ses cours d'eau souterrains, il se tenait comme un homme déterminé et sa raideur contrastait étrangement avec le flou de son esprit. C'était un homme au pas égal et décidé que n'indisposaient ni la chaleur ni la fatigue, indifférent à ces femmes qui cheminaient avec peine à ses côtés. Son allure était-elle mécanique ou mue au contraire par une conviction profonde, un but précis ? Nous donnait-il à voir sa détermination ou bien son abstraction au monde ? Je me demandais s'il s'arrêterait si l'une de nous brusquement s'asseyait sur le bas-côté, si l'une de nous déclarait forfait, et soudain j'ai cessé de marcher. Il a avancé encore un peu, quelques pas à peine, Giulietta le suivait en me lançant des regards soupçonneux mais en regardant son dos, j'ai su qu'il s'arrêterait. Il a eu un tout petit relâchement des épaules, un léger temps, comme une suspension, j'ai vu sa nuque trembler un peu, j'ai reconnu dans l'inclinaison hésitante de son cou cette façon qu'il avait toujours eue d'exprimer d'abord par son corps ce qu'il ressentait et allait dire

271

ensuite. Je ne cessais de l'observer. Il s'est retourné lentement, m'a regardée avec au fond des yeux la marque d'un reproche amusé, comme une reconnaissance de celle que j'avais été, l'adolescente un peu butée qu'il avait connue – mais sans doute je projetais des sentiments que j'espérais et qu'il ne ressentait peut-être pas. Un instant j'ai cru qu'il souriait, mais la lassitude seulement faisait frémir un peu ses lèvres, je crois qu'il était beaucoup plus loin de nous que nous ne l'imaginions alors.

— Je suis fatiguée, j'ai dit, je ne comprends pas où on va.

Il est resté à me regarder sans réagir, Giulietta avait peur pour lui je le sentais, mais j'ai pensé à la chapelle et j'ai continué à lui parler comme s'il était encore notre semblable.

— C'est encore loin ? j'ai demandé. On va mourir d'insolation c'est sûr et on n'a même pas un chapeau, une bouteille d'eau, Dario je ne crois pas que tu aies déjà pris cette route à cette heure-là, non ?

Pour toute réponse il est venu s'asseoir à côté de moi, comme un homme patient qui attendrait que cesse un caprice. Nous étions en bordure d'un champ, sur un petit terre-plein sec et rocailleux.

— C'est avec la voiture qu'il faut venir ici, a dit soudain Giulietta. Avec la Porsche, comme avant.

Elle avait dit cela sur le ton du reproche et j'ai compris qu'elle m'en voulait de m'être assise, d'avoir fait rater peut-être notre misérable tentative. Dario regardait ses mains, les ouvrait, puis les fermait, parfois le bout de ses doigts s'effleurait, j'ai eu envie de le pousser et qu'il tombe, qu'il se fasse mal et hurle enfin quelque chose, un mot de douleur, une insulte, qu'importe, j'avais envie que cessent sa docilité malade et sa passivité trouble. Sans Giulietta à nos côtés, sans sa détresse et sa peur, j'aurais peut-être gueulé à Dario que s'il continuait à se taire on allait sûrement devoir le mettre dans un institut, une clinique spécialisée, un endroit où contenir son absence. Je l'aurais pris par les épaules et secoué en hurlant le nom de sa mère, de sa ville, de sa femme, le nom de toutes les filles qui l'avaient aimé, de tous les lieux qu'il avait habités, les pays où il avait fait partir des bateaux, les langues dans lesquelles il avait donné des ordres, dit des mots d'amour et d'apaisement, et ses rires de consolation, ses tocades, ses tendresses, je les lui aurais jetées à la figure pour un mot, un seul, une preuve de sa présence avec nous au même moment que nous sur la même route que nous à la même heure exactement.

— C'est avec la Porsche qu'il faut venir ici, a redit Giulietta, avec une tristesse têtue. Et elle a rajouté : attendez-moi là, je vais chercher la voiture.

— Vous attendre ici ? j'ai dit. Rester une heure au soleil, et vous laisser marcher seule sur cette route et puis peut-être aussi que vous allez chercher les clefs dans la mer, hein ? Et remonter le temps, pourquoi pas ?

Nous venions de marquer devant Dario le signe évident de notre peur et de notre incertitude. Il m'a semblé alors que nous étions bien plus égarées que lui, nous flottions entre deux humeurs et notre association prenait l'eau. Cela m'a mise en colère. Et aussi, j'avais soif et mal aux pieds, et peut-être Giulietta avait-elle raison : nous aurions dû prendre la Porsche abîmée, après tout c'est en voyant le choc à l'avant de la voiture que nous avions eu l'idée elle et moi d'entraîner Dario sur cette route. Giulietta a décidé de m'ignorer, elle ne voulait plus d'une alliée qui se décourageait si vite, elle qui faisait face à la maladie depuis un an déjà avec l'entêtement d'un soldat fidèle, et aurait pu marcher encore des heures sous le soleil sans rien ressentir que son amour pour Dario. Lui restait là, d'une docilité effrayante, apparemment sans avis ni sentiment. Giulietta s'est approchée de lui :

— Dario, elle a murmuré, tu veux que j'aille chercher la voiture ? Tu voudrais qu'on roule vite sur les routes, qu'on parte loin, c'est Gênes qui te pèse, hein, c'est moi, c'est la maison ?

Je trouvais la situation pathétique, presque comique, mais Giulietta a continué à s'adresser à Dario, en italien cette fois, elle parlait doucement, ses paroles apaisantes me semblaient aussi dingues que le silence de son mari, j'ai eu envie que la nuit tombe soudainement et nous fasse disparaître, que l'avion de Marc atterrisse et que mon mari si rationnel, si concret et efficace, m'arrache à cette douleur, cette impuissance, « l'amour soulève les montagnes » enseignait ma mère à ses Jeannettes attentives, eh bien non, j'avais devant moi la preuve évidente que l'amour se fracassait contre les montagnes, et Dario, Giulietta et moi avions simplement l'air de trois adultes en panne d'essence une après-midi sur une route déserte, personne absolument personne n'aurait pu soupçonner à nous voir, que Giulietta et moi tentions de ranimer un homme mort.

En marchant une heure durant avec Giulietta et moi, Dario ne nous avait rien révélé. Nous avons décidé de faire demi-tour. Un moment je me suis demandé si ce n'était pas le vide absolu que Dario cherchait et retrouvait en marchant ainsi au milieu de cette route, mais Giulietta n'en démordait pas : c'était celle qu'il empruntait chaque soir pour rentrer à La Florida, il la suivait juste plus loin en marchant ainsi, elle devait forcément lui rappeler quelque chose de familier, quelque chose qui lui était arrivé peut-être ce soir-là avec la Porsche. Je suggérai que peut-être Dario avait buté contre un arbre et subi un traumatisme crânien, mais en disant cela je savais que je réagissais comme une amie de la dernière heure, naïve et en retard, on ne m'avait pas attendue pour faire passer tous les examens médicaux à Dario, et je le savais bien.

Tandis que nous rentrions, suivant Dario qui avançait plus lentement maintenant, avec une sorte de fatigue un peu lasse, nous allions encore Giulietta et moi, d'hypothèses en espérances vaines. Cette route menait-elle vers une autre vie ? Dario allait-il à la rencontre de quelqu'un, pensait-il parfois à fuir ? Et c'est justement au moment où Giulietta et moi n'étions plus ces accompagnatrices aux aguets que Dario s'est détendu, comme s'il n'était plus tenu par nous, soumis à notre examen muet et notre constante inquiétude. Il lui est arrivé de tourner la tête au passage d'un oiseau et même de caresser de la main, en passant et sans les regarder, les longues herbes fines qui jonchaient le chemin. Pour la première fois, il avait l'air d'un promeneur.

Nous marchions moins vite, et le soleil qui ne nous faisait plus face semblait lui aussi avoir abandonné partiellement le combat. Nous avions l'air de trois pêcheurs bredouilles, trois sportifs au retour d'un tournoi qui les a relégués en dernière position. L'échec était-il dans le groupe ou en chacun de nous ? Soudain, j'étais saturée de tant d'espoirs déçus, et je n'avais plus envie de penser à rien, bâtir des scénarios, imaginer encore et encore le dernier soir d'homme libre de Dario, avant la Porsche et les clefs dans la mer, et je me demandais si finalement, la liberté n'était pas ce qu'il goûtait aujourd'hui, ce qu'il avait conquis depuis qu'il ne rendait plus de comptes à personne, n'avait plus le pouvoir de rendre quiconque heureux. Et alors que nous entrions dans un bourg, un de ces pauvres lieux délaissés, traversés par une nationale plus fréquentée que ses ruelles et ses écoles, ces lieux où l'église romane était fermée et où le pain ne s'achetait plus à la boulangerie mais au supermarché le plus proche, alors que nous traversions ce semi-désert d'humanité, ne croisant personne qu'un paysan suivi par un chien boiteux, et une camionnette des postes qui ne s'arrêtait devant aucune maison, des enfants ont surgi d'une ruelle, sûrement des gitans, ils sont passés très vite en parlant fort comme s'ils se disputaient. Au moment où ils allaient disparaître, s'engageant sur un chemin de terre, celle qui semblait la plus âgée des filles mais devait avoir à peine plus de 10 ans, s'est tournée vers nous en tendant la main, tout en parlant un italien rauque que je ne comprenais pas. Giulietta a retrouvé son autorité naturelle pour la repousser d'un mot, lancé fort et qui a claqué comme si le bourg était à elle et qu'elle en chassait un intrus mineur, un minuscule nuisible. La fillette a rougi et couru pour rejoindre le petit groupe qui ne l'avait pas attendue et continuait à se disputer avec ferveur, mais sans animosité, c'était des enfants excités à qui de toute évidence il venait d'arriver quelque chose, un évènement, peut-être trois fois rien, mais qui les divisait profondément.

Ils ont disparu, ils étaient passés aussi vite qu'un essaim d'abeilles, un bourdonnement dont l'éloignement soulage, et c'est alors que Dario s'est arrêté. Il avait été indifférent au passage des enfants, indifférent à la façon dont Giulietta avait chassé la fillette, mais à présent je voyais l'effort qu'il faisait pour respirer, les narines pincées, la lèvre supérieure étrangement fine soudain, on aurait dit que son visage rentrait en lui-même, se repliait à l'intérieur. Giulietta s'est précipitée vers lui pour le faire asseoir sur une borne kilométrique ancienne, il n'y avait pas un banc, pas même un arrêt de bus, rien dans ce bourg qui invite à autre chose qu'à s'en aller.

Je les ai regardés tous les deux, ce couple qui avait été admirable et admiré, et maintenant cet homme cherchait l'air, cherchait la vie, assis à peine sur une borne de béton en plein soleil de juin. Giulietta a posé son foulard sur le nez de Dario, et très vite il a été maculé de sang, un sang clair, comme neuf, et tous deux ne se parlaient pas, aucun mot, aucune rassurance, simplement elle tenait son joli foulard de soie contre le nez de cet homme au bord de l'évanouissement, et sans crainte de tacher maintenant son corsage de lin blanc elle a pris la tête de Dario contre elle, elle la tenait fort comme on tient la tête d'un noyé hors de l'eau.

Ils sont restés ainsi longtemps, prêts à tomber tous les deux, presque blancs dans la lumière trop vive, et sans âge soudain, sans beauté, sans éclat, simplement elle tenait la tête de son homme contre son corsage en sang, et puis elle s'est mise à murmurer et sans pouvoir s'arrêter, presque sans reprendre son souffle : « Ti voglio tanto bene ti voglio tanto bene ti voglio tanto bene Dario Dario ti amo ti amo Dario Dario », cela résonnait étrangement comme un chant. Un chant d'adieu triste et résolu.

J'ai arrêté une voiture, une de celles qui ne traversaient pas le village à toute allure, nous nous sommes assis à l'arrière tous les trois, et nous sommes rentrés à La Florida. Nous ressemblions à ces enfants fugueurs que les parents retrouvent et qui rentrent au bercail avec leurs rêves évanouis et le soulagement pourtant de rentrer chez eux, un soulagement dont ils ont honte tant il est sincère. Dario tenait contre son visage le foulard de Giulietta, il avait posé son front contre la vitre et fermé les yeux, nous laissant seules elle et moi, comme deux amies qui se savent fâchées, implicitement. Puis Giulietta a posé sa main sur la cuisse de Dario, il n'a pas réagi. Elle n'a pas semblé s'en étonner.

S'il s'était réellement passé quelque chose sur cette route, nous ne le saurions jamais, car il était trop tard pour consoler Dario de son malheur, de ses secrets qui n'avaient pas de nom. La seule chose à faire était de rester à ses côtés, une main posée sur lui en permanence et en silence, et cela, Giulietta venait de me le signifier : elle seule pouvait le faire.

Rentrés à La Florida, chacun a eu besoin d'être seul, chacun s'est isolé et sans excuse dans sa chambre, ces pièces sombres traversées de rais de lumière échappés de volets aux lattes disjointes.

Allongée sur mon lit je pouvais presque entendre le silence, il était plein, il résonnait, seules de loin en loin me parvenaient parfois les voix des domestiques, c'était eux bien plus que les maîtres qui faisaient vivre la maison, y respectant aux cuisines les heures des repas, et s'occupant du jardin comme si à tout moment il pouvait accueillir une fête, devenir un décor et non plus ce lieu chargé d'odeurs lourdes, traversé par des êtres vieillis prématurément et qui n'avaient plus assez de nonchalance pour en apprécier simplement la poésie. On se cherchait dans ce jardin, on s'appelait, on se courait après, on ne s'asseyait plus pour l'écouter, tenter de reconnaître un oiseau, le nom d'une rose, observer les couleurs changeantes du ciel lorsque le soir descend, et se savoir privilégié de n'avoir rien d'autre à faire que regarder la nuit s'installer lentement. A vrai dire, plus le jardin était beau et vrai, plus l'agitation désespérée dont nous faisions preuve signifiait notre exclusion, tout semblait nous résister et je me demandais comment Giulietta n'était pas encore devenue folle à lutter ainsi depuis un an contre le vide, dans cette maison où sa seule présence inquiète paraissait déplacée.

Je sommeillais un peu sans goûter en rien la torpeur de ces siestes improvisées qui n'offrent pas le sommeil mais un entre-deux, une modification des pensées et des sensations, diffuses et puis soudain aiguës, lucides et révélées. Au contraire, plus je tentais de m'éloigner de la pesanteur des heures qui avaient précédé, plus j'en sentais le poids et la présence. La transpiration collait mes vêtements à ma peau, j'avais encore sur les jambes la poussière de la route, je sentais sur ma nuque la brûlure du soleil et je revoyais les images de cette marche inutile, mon exclusion soudaine, mon impuissance et ma totale inutilité. Je savais qu'au-dessus de moi dans sa chambre ancienne, Dario était couché lui aussi, j'avais entendu Giulietta l'y conduire, puis la femme de chambre y avait fait quelques allées et venues, sûrement on avait changé sa chemise, lavé son visage, juste au-dessus des lèvres il avait des petites croûtes de sang séchées. Giulietta l'avait aidé pour monter les jardins en terrasse, on aurait dit un homme un peu ivre et qui s'est battu, soutenu par sa femme compatissante, habituée à ses frasques et les pardonnant toujours, avec l'orgueil secret de se savoir la seule à pouvoir tout supporter. J'étais très loin de cette intimité-là. J'avais été conviée au chevet de Dario, j'étais l'invitée, Giulietta la compagne. La femme. Elle était celle qui le connaissait mieux que personne, celle qui, auparavant, lui signifiait en un regard « je sais ». Et lui, d'un sourire à peine, répondait « je sais que tu sais ». Ils se contenaient l'un l'autre, avec la jalousie secrète qu'il y a à être la mémoire de l'être que l'on aime, à pouvoir même anticiper ses réactions, à les prévenir parfois. Je ne pouvais pas rattraper trente ans d'éloignement. Je n'avais pas vu Dario devenir un homme, entrer de plain-pied dans la vie, les obligations et les décisions qui font l'admiration de tous, l'autorité naturelle, les ordres précis et la façon sûrement incroyablement sexy de porter un costume, une écharpe blanche les soirs d'opéra, ou juste un pull à même la peau, un jean usé et les pieds nus sur les dalles de marbre, les graviers du jardin, et cette façon juvénile toujours de pencher un peu la tête pour allumer sa cigarette, et peut-être parfois rappelait-il Giulietta d'un geste autoritaire, une main qui se ferme sur son bras au moment où elle s'éloigne, il l'attire à lui et l'embrasse avec force, comme un homme sûr de son pouvoir et qui sait à quel point elle va aimer sa brusquerie, cette femme qui se montre à lui telle qu'il la veut, chatte ou chienne, soumise ou surprenante, fantasque ou incroyablement douce, simple et tendre… M'avait-elle fait venir pour que je devine cela, aussi ? Avait-elle besoin de faire venir sous son toit une fille qui aurait suffisamment aimé et connu Dario pour comprendre que seule une femme d'exception pouvait être à ses côtés vingt années durant ? Peut-être aurais-je dû simplement la féliciter et repartir. Ne pas me prêter à la mise en scène, l'attente vaine d'une résurrection. Peut-être que s'ils avaient eu des enfants, Giulietta et Dario n'auraient pas eu besoin de moi pour assister au désastre, cette amnésie souveraine. Je me demandais ce que je ferais si une telle chose arrivait à Marc, si j'aurais la force de rester enfermée avec lui à guetter que la vie revienne, et nos souvenirs, et notre histoire... Rester et espérer que tout cela n'ait pas été vécu en vain, que notre union ne puisse pas s'effacer aussi facilement, un soir il rentre la voiture au garage et voilà c'est tout. Voilà c'est fini. Il n'est pas mort. Il n'est pas blessé. Mais c'est fini tout de même.

Et alors que je pensais ainsi, tentant de démêler ce que j'avais vécu ici depuis mon arrivée, tentant d'analyser mais sans comprendre pourtant, j'ai entendu soudain des pas précipités, des portes que l'on claque, la voix de Giulietta qui disait en italien des choses que je ne comprenais pas à un homme qu'elle appelait « dottore », et je l'entendais lui aussi, une voix étrangement fine pour sa fonction, et tous deux bien sûr sont entrés dans la chambre de Dario. Je me suis levée, et je suis montée.

La porte était restée entrouverte et je suis restée sur le seuil, ainsi que le font les petits enfants les soirs de réception, voyeurs un peu jaloux. J'acceptais mon exclusion. D'où j'étais, à ce poste de soubrette, je voyais le dottore et Giulietta, mais Dario n'était pas dans son lit, je le devinais près de la fenêtre. Et je l'entendais. Des paroles que, même prononcées en italien, je supposais totalement incompréhensibles, comme placées dans le désordre, et dures, d'une méchanceté désespérée. C'était un flot qui montait et tremblait, plus Dario était menaçant plus sa voix flanchait, elle était vieille, presque mauvaise, brisée. Je n'avais pas entendu cette voix depuis trente ans ! Et elle me revenait changée, trouble comme une eau saumâtre, c'était une voix souillée qui disait la lutte, la fatigue, et la peur plus que la révolte. Giulietta était immobile, se tenant droite, sans un geste, sans un mot, comme statufiée par la situation, et je comprenais alors ce qu'elle avait d'exceptionnel. Jamais Dario depuis son amnésie, n'avait été dans cet état-là. Jamais peut-être Giulietta ne l'avait entendu vociférer ainsi. C'était un stade franchi dans la maladie, une étape qui en annonçait d'autres, comme lorsqu'on amorce une descente et que l'élan qui vous pousse remplace toute volonté, et vous êtes pour toujours à la merci du courant.

Le docteur a parlé plus fort que Dario soudain, je croyais que les malades avaient besoin de douceur, mais le « Silenzio adesso signore Contadino ! Silenzio ! » a été lancé avec une autorité de bon aloi : Dario s'est tu. Le docteur a approché un fauteuil dans lequel il l'a fait s'asseoir, je pouvais voir à présent le profil de Dario, la mèche fine sur son visage baissé, ses épaules voûtées, il respirait bruyamment, pesamment, et puis soudain il s'est redressé un peu et il a tourné lentement son visage vers moi, il a levé son bras, passé son poignet sur son front et j'ai reçu son regard, le même qu'il y a trente ans dans le salon sombre où il dansait un slow avec chacune, et c'était le même mystère. Ce regard et ce geste lui avaient-ils échappé ou bien avaient-ils une signification ? M'étaient-ils destinés ? Dario se reposait-il entre deux combats, ou bien était-il déjà dans l'absence ? Et puis il a baissé son bras, détourné le regard, incliné de nouveau son visage. C'était fini.

Le docteur a posé sa mallette sur le lit, l'a ouverte, Giulietta est sortie aussitôt. Elle n'a pas été surprise par ma présence, ni par le fait que je n'ai pas osé entrer dans la chambre, elle a pris mon poignet et m'a entraînée en bas, dans la bibliothèque, où elle nous a versé à chacune un verre de cognac, que je pris volontiers.

J'avais vu Dario pour la dernière fois. Son premier geste avait été pour moi le dernier, je le rencontrais et le quittais de la même façon et sans savoir s'il voulait me dire quelque chose, à moi et à moi seule. Il me laissait, au-delà du mystère de l'amnésie, le mystère de son être tout entier, jamais je crois il n'était vraiment descendu parmi les hommes.

— Le docteur m'en veut, il m'en veut terriblement, Emilie nous avons été folles toutes les deux, nous avons provoqué un choc terrible en accompagnant Dario sur cette route, nous n'aurions pas dû, ça a été une erreur, la première erreur que je fais, c'est vrai, c'est la première fois que je ne l'aime pas assez, que je le veux autrement, que je le force, je l'ai forcé, je l'ai forcé... Stronza ! Ma ché stronza !

J'ai laissé Giluietta s'en vouloir, et puis pleurer, et boire encore, et m'accabler de reproches, avoir trois filles m'avait au moins appris ceci : ne jamais prendre pour une affaire personnelle le désespoir d'une femme, ni la rancune et la mauvaise foi qui l'accompagnent. Quand elle a eu fini, épuisée par son chagrin et sa culpabilité, je lui dis ce qu'elle espérait entendre, à savoir que je partirais le soir même, j'irais chercher Marc à l'aéroport, nous prendrions une chambre à Gênes et repartirions dès le lendemain pour Paris.

Le docteur est venu la prévenir qu'il s'en allait, il avait de nouveau sa voix fine, son air résigné, Giulietta acquiesçait à tout ce qu'il disait d'un air indifférent, elle n'avait plus d'illusions et savait exactement ce qui allait se passer, ce qu'elle allait devoir vivre chaque jour, la seule inconnue était : pour combien d'années encore ? Le docteur a dit « A domani. Lasciatelo dormire. A domani. A domani ». Et tous les jours elle entendrait le petit docteur dire cela de sa voix fluette, son allure fataliste, sa résignation d'homme de science qui sait tout ce qu'il ne sait pas, et s'en désole sans révolte.

Puis Giulietta s'est tue, épuisée par le chaos de cette après-midi et tant de sentiments contradictoires, et alors que nous restions silencieuses, côte à côte et dans une hébétude proche de l'apaisement, avec la certitude étonnée que le cauchemar était terminé, celui de la traque inutile et de l'espérance vaine, le téléphone a sonné. Longuement. Très longuement avant que Giulietta ne se décide enfin à décrocher, parce que je lui dis que peut-être, Marc voulait me prévenir de quelque chose.

C'était Daniele Filippo, l'ingénieur du port, celui que Giulietta avait harcelé tant et tant, et qui m'avait semblé distant et si peu coopératif. La conversation n'a duré que quelques secondes le temps pour Filippo de prévenir de son arrivée.

Après avoir raccroché Giulietta m'a regardée avec étonnement, comme si c'était à moi de parler, elle semblait stupéfaite.

— Qu'est-ce qu'il veut ? je lui demandai.

— Nous dire.

— Quoi… ?

Ses lèvres ont tremblé avant qu'elle ne parvienne à articuler ces deux mots :

— La vérité.

Daniele Filippo était un ami du docteur, ils jouaient au golf ensemble depuis de longues années, et c'est après avoir reçu son appel au sortir de La Florida, que Filippo s'est décidé à venir voir Giulietta. Le docteur savait sûrement des choses que nous ignorions.

Avant de nous parler, il a demandé à voir Dario.

— Il dort, lui a dit Giulietta, sur la défensive.

— Je sais qu'il dort, a répondu Filippo en français et par égard pour moi. Mais je veux lui parler tout de même. Je ne le réveillerai pas, je vous le promets.

— Vous allez lui dire que vous le trahissez ? a demandé Giulietta.

— Exactement. Je veux qu'il le sache. Et qu'il me pardonne.

— Il n'entend rien, il ne comprend rien !

— Giulietta, vous ne m'aimez pas beaucoup, je le sais. Je le comprends, même. Mais vous comme moi, nous savons que Dario entend et comprend tout. Menez-moi à sa chambre, s'il vous plaît.

— C'est une sorte de chantage, alors ?

— Non. C'est une sorte de politesse.

Et avant qu'elle ne s'élance sur lui, j'ai pris Giulietta par le bras, pour lui dire qu'il était temps qu'elle sache enfin. Et peu importait que l'ingénieur ait su une vérité qui lui avait été cachée. Alors elle a dit avec une voix vulgaire soudain, une voix de femme du peuple prête à tout :

— Allons-y ! Et ne nous apitoyons pas !

Ni elle ni moi ne sommes entrées dans la chambre, évidemment. Nous avons laissé Filippo soulager sa conscience, et si Giulietta le haïssait, je n'étais pas loin moi, de le trouver admirable. Je ne me risquais évidemment pas à lui faire part de mon sentiment.

Nous avons attendu ainsi sur le seuil avec la conscience que bientôt, une fois le secret révélé, nous ne serions jamais tout à fait les mêmes, la vie nous mettait au pied du mur et sans échappatoire possible.

Finies les suppositions, bientôt nous entendrions des faits, et alors il faudrait juste accepter que des choses soient arrivées. Aussi insoupçonnables que réelles.

Filippo est sorti de la chambre sans nous regarder, et sans nous attendre pour redescendre au petit salon. Il avait les yeux rouges et l'air terriblement fatigué, il allait trahir son ami.

Et maintenant nous nous faisions face dans ce petit salon où Dario écoutait la radio avec son ami

290

Luigi, où Dario était entré tant et tant de fois en parlant à Giulietta, en riant, en lui racontant toutes ces choses qui lui était arrivées, ses journées de travail, ses projets de vacances, et puis les anniversaires ici aussi, comme chez moi, les bougies qu'on allume et les cadeaux que l'on offre, et sûrement ils s'étaient aimés sur ces canapés, ces fauteuils, se cachant des domestiques, le téléphone débranché, et l'étonnement magnifique que l'amour ne soit jamais deux fois identique. Tout cela s'appelait le passé. Trois fois rien.

Daniele Filippo a parlé longuement, difficilement mais d'une seule traite, et sans nous regarder jamais. Il a dit :

— Dario, vous le savez, avait une sorte de… de nonchalance, un peu trompeuse… Il semblait être un promeneur un peu distrait, mais rien ne lui échappait. C'était un observateur qui aimait les gens, tous les gens, il semblait toujours si… étonné, de leurs façons d'être et des vies qu'ils menaient. Il n'y avait jamais chez lui de moquerie ou d'ironie non, simplement il regardait les hommes, il s'attardait comme ça… Mais ça vous le savez… Bien sûr je ne vous apprends rien… Il y a du monde sur le port, tellement de gens différents et qui viennent de partout, et bien sûr, n'est-ce pas, avec les bateaux, bien sûr, tous ne sont pas légaux… beaucoup sont là cachés, apeurés… Comment vous dire ? Souvent le soir, après sa journée de travail, Dario aimait faire quelques pas sur le port, il

291

fumait une cigarette, il parlait avec un mécanicien, avec les pêcheurs, eux étaient fiers de discuter avec l'*Ingeniere* n'est-ce pas, il y a toujours cette sorte de respect, cette hiérarchie stupide… Dario connaissait les vies de chacun, mais aussi il retenait tout, comment croire ça ? C'est incroyable venant de lui on aurait pu penser… Mais non, non, il retenait tout, alors les types l'adoraient, Dario demandait si l'opération de la femme s'était bien passée, et l'anniversaire de la *nonna*, l'examen du fils, et aussi il voulait savoir comment marchait tel ou tel moteur, il parlait de ses voitures à ces gars sur le port, qui n'étaient jamais jaloux de l'argent de Dario jamais, je crois que pour eux… enfin je vous dis ça parce que maintenant, avec ce qui est arrivé, les gens parlent de lui, ils me parlent, j'ai vu des gars pleurer en parlant de Dario, et comme il leur manque, c'est comme… ? Comment dire ? Ne plus voir Dario se promener le soir sur le port et s'attarder, quand tous nous avions tellement hâte de rentrer chez nous, je sais signora Contadino, nous savons tous à quel point il vous aimait, oh de cela aussi je pourrais parler, mais ce n'est pas ce que vous attendez, je le sais. Qu'est-ce que je disais ? Oui, sur le port n'est-ce pas, il y a beaucoup de sans-papiers, plus qu'ailleurs sûrement, enfin ils vivent comme ça, aux alentours du port, ils trafiquent un peu, les enfants… Les enfants… Ils se débrouillent. Ils apprennent plus vite l'italien que leurs parents, ils connaissent la ville en quelques jours à peine. C'est difficile à dire… Il y avait cette petite fille… Malika… elle était tunisienne… Malika… C'est difficile… Excusez-moi… Mais Dario et elle… ils n'avaient pas besoin de se parler pour se comprendre, tous les soirs elle attendait Dario, elle était… Malika, avec ses petits yeux d'écureuil, maligne, et joyeuse, tellement joyeuse, ils se connaissaient bien tous les deux sans se parler, mais tous les soirs elle l'attendait avec à chaque fois quelque chose de différent dans son panier, la plupart du temps des figues de Barbarie, parfois des citrons qu'elle volait sûrement dans les jardins, enfin Dario lui achetait chaque soir quelque chose… Et puis il posait sa main sur sa tête comme ça, en souriant, et il repartait. Je crois qu'il lui donnait beaucoup d'argent… Et puis très vite ce n'était pas l'argent qui a été important entre eux, c'était ce… comment dire ? Ce jeu… ? Ce rendez-vous plutôt, oui : ce rendez-vous ! Voilà… C'est devenu important. Ils s'aimaient beaucoup, je crois que la petite trouvait avec Dario, quelque chose qui lui manquait sûrement chez elle, une façon d'être, cette douceur, ce sourire… Enfin, quand même l'argent devait avoir son importance. Un matin Dario est arrivé au volant de la Boxster verte, il était heureux comme un môme, comme à chaque fois qu'il avait une nouvelle voiture, et puis vous imaginez, l'attroupement bien sûr, quand il arrivait comme ça au volant d'une nouvelle voiture de course, tous se ruaient vers lui, et lui… il avait

20 ans. Il devenait paradoxalement... naïf, oui. Il riait, il avait une insouciance de gosse. Je me suis toujours dit que peut-être, sans l'admiration des gars sur le port, les belles voitures auraient beaucoup moins intéressé Dario... Il conduisait seul mais il avait besoin qu'on le félicite et que... Je m'égare. Il faut revenir à la Boxster verte... Après le travail, après le port, après la petite, il roulait toujours un moment avant de rentrer... Et surtout sur cette route où je le sais, vous le retrouviez souvent... Je sais. Je sais tout cela. Ce soir-là, la fillette n'était pas sur le port, mais Dario l'a à peine remarqué parce que... il avait tellement hâte de rouler avec la nouvelle voiture, il l'avait depuis une semaine à peine, à peu près... je ne sais pas... La vérité c'est que Malika voulait lui faire une surprise. C'est ça le mot. Elle voulait le surprendre. Mais elle avait 10 ans. C'était une gamine des rues, inconsciente comme un petit chat sauvage... Il roulait face au soleil couchant, alors bien sûr... Quand elle a surgi au milieu de la route en levant très haut son panier au-dessus de sa tête pour qu'il la voie... c'était trop tard. Il roulait très vite. Face au soleil. La petite était en haut de la côte. Dans son panier il y avait des figues mais aussi des fleurs, elle ne les avait pas volées celles-là, elle les avait cueillies toute l'après-midi dans les champs et puis liées entre elles... Voilà... Ç'a été le début... C'est ce soir-là, qu'il a mis Malika à côté de lui dans la voiture, elle ne saignait pas mais elle était

inconsciente, il est retourné en ville, depuis le temps il savait où elle habitait, il est allé chez sa famille... Pourquoi... Pourquoi est-ce qu'il n'est pas allé directement à l'hôpital... Il me disait que c'était à cause de ces foutus papiers que les parents n'avaient pas, il avait peur pour eux et puis surtout... Surtout ç'a été une telle panique ce soir-là, un choc terrible, terrible pour Dario... Evidemment la famille a refusé qu'on emmène Malika à l'hôpital, ils avaient un oncle plus ou moins guérisseur, ils ont pratiquement chassé Dario, la mère hurlait, il l'a laissée lui taper dessus, oui c'est ce qu'il m'a dit, l'insulter, le haïr, et puis il leur a donné de l'argent, tout l'argent qu'il avait sur lui, et son téléphone aussi pour qu'ils l'appellent s'ils changeaient d'avis sur l'hôpital, il leur a proposé de faire venir le docteur, mais ils n'ont pas voulu de ça non plus. C'est ce soir-là que Dario a garé la Porsche et jeté les clefs dans la mer. Et puis il a commencé à prier. Au lieu de dormir. Il priait sans cesse, il suppliait la vie, la Madone, l'univers, il répétait « je ne veux pas qu'elle meure faites que Malika ne meure pas Je vous salue Marie pleine de grâce faites qu'elle vive, je vous en supplie faites ce miracle faites ce miracle... ». Et malgré la haine de la famille à son égard, malgré les insultes et le regard terrible de la mère sur lui, il revenait toujours au chevet de la petite et toujours il proposait l'hôpital, l'argent, et même des faux papiers, il devenait fou car il voyait bien, lui, qu'elle allait mourir sans avoir repris connaissance. L'idée que cette mort aurait pu être évitée, l'idée qu'on aurait pu sauver l'enfant le rendait fou, il respectait la volonté de la famille, mais en faisant cela il tuait vraiment leur petite. Cela a duré trois jours. Trois nuits. A prier et à supplier sans fermer l'œil une heure. Et un matin la famille n'était plus là. Ils ont enterré la petite Malika près des bunkers, sur la colline à la sortie de Gênes, et puis ils sont partis, ils ont quitté la ville sans elle, sans leur enfant. J'ai empêché Dario de partir à leur recherche et pour tout vous dire je l'ai même empêché de déterrer la fillette à qui il voulait offrir une sépulture plus digne, là-haut, dans le petit cimetière derrière la chapelle abandonnée. Je l'ai empêché de faire tant de choses… Se livrer à la police, partir, prendre la mer et partir, et aussi… je dois vous l'avouer… aussi d'en finir. Je l'ai tenu comme un enfant qui s'étouffe et que l'on porte à bout de bras, je lui ai parlé sans cesse comme un homme dans le coma qu'on ne laisse pas en paix, j'ai fait tout ce que je pensais être en mon pouvoir et bien sûr, bien sûr je l'ai supplié de vous parler à vous, signora Contadino… Mais ça… Je crois que Dario a choisi, oui je dis bien choisi, cette maladie, pour être certain de ne jamais vous dire la vérité. Vous dire qu'il avait tué une petite fille. C'est pourquoi, vous le comprendrez, cette confession que je vous fais aujourd'hui… est une telle trahison…

Alors nous sommes restés tous les trois dans le silence de cette après-midi qui finissait. Chacun de nous dans une solitude sans partage. Sans pleurs. Sans révolte. Simplement nous avions froid. Nous venions d'entrer dans le monde des stupéfaits. Nous étions différents, pour toujours. Nous sommes devenus sans étonnement, sans spontanéité, nous sommes devenus des vieilles personnes sans sagesse.

J'ai vu dans la nuit l'avion de Marc atterrir sur l'aéroport de Gênes. Je l'attendais emplie d'une tristesse sans nom, je l'attendais pour lui demander de repartir le soir même, qu'il prenne le volant et que nous roulions toute la nuit, jusqu'à ce qu'elle se déchire et qu'au matin nous soyons déjà loin dans la France. Je voulais fuir le malheur et pourtant si Giulietta m'avait proposé de rester avec elle je l'aurais fait, j'aurais attendu avec elle que la vie de Dario s'épuise lentement avec son malheur et son secret révélé, que ce ragazzo tant et tant aimé s'éteigne entouré nuit et jour de tout l'amour auquel il avait droit, lui qui avait été l'*invitato* d'une vie bien trop petite pour contenir sa poésie et qui avait tenté jusqu'au soir de l'accident, de rester un simple observateur compatissant, comme si par cette prudence il reculait depuis toujours et avec instinct, ce moment, cette heure, cette seconde où il tuerait la fillette, entrant ainsi subitement dans l'univers désespérément violent des hommes. Ainsi cet adolescent qui chuchotait son nom « DA-rio… » « Mario ? » « Non : Dario…

Dario Contadino… » était-il devenu volontairement un homme sans identité ni mémoire. Je ne sais pas, jusqu'à sa mort, dans quelles limbes il avait choisi de vivre, jusqu'où il avait choisi ce châtiment terrible d'errer ainsi entre deux mondes, ce mutisme qui le protégeait de l'aveu et l'entraînait vers l'oubli de lui-même. En simulant l'amnésie, Dario Contadino avait fait croître en lui le remords de son crime, jusqu'à ce que celui-ci vienne finalement à bout de sa conscience. Il a disparu deux ans après cette après-midi de juin et souvent je confonds ses deux visages, celui de ce jour-là et celui de ses 17 ans, il se tourne lentement vers moi, je reçois son regard, il porte la main à son front mais jamais, jamais je ne peux apaiser son inquiétude, le reposer de sa fatigue, je n'ai finalement jamais rien pu pour lui.

Il est mort un matin, très tôt, après avoir appelé Giulietta qui le veillait depuis plusieurs nuits déjà, car il était entré en agonie. Il l'a appelée, pour la première fois depuis trois ans, il a prononcé son nom, il a dit : « Giulietta, serre-moi fort… » Elle l'a serré fort contre elle et reçut son dernier souffle, dans son cou, contre ses cheveux. Et puis elle a reposé doucement sa tête contre l'oreiller et lui a fermé les yeux en lui disant de pauvres mots d'amour, et la maison est devenue douce, étrangement douce m'a-t-elle dit lorsque je l'ai rejointe dans ce petit cimetière derrière la chapelle abandonnée, là où Dario a été enterré. A ses côtés repose Malika Ben Salem. Aidée de Daniele

Filippo et d'amis haut placés à Gênes, Giulietta avait obtenu des années auparavant que la petite soit enterrée dans ce cimetière. Elle n'avait jamais osé le dire à Dario, souvent elle avait hésité à l'y emmener, mais toujours au dernier moment elle se rappelait notre après-midi sur la route, le choc que nous lui avions imposé en croyant le ramener à nous. Chaque semaine elle déposait une fleur, une figue de Barbarie, un citron sur la tombe de la petite. Et elle savait que l'enfant appelait secrètement Dario à elle, et qu'il ne serait pas long à la rejoindre, qu'il ne la laisserait pas ainsi si seule au pays des morts, il viendrait, il avait encore rendez-vous avec elle, il choisirait la mort comme il avait choisi l'amnésie, un engagement sans appel.

Mimoune est morte deux mois après son fils, et lorsque je vois leurs noms à tous les trois sur la pierre de leur tombe, je prie pour que le ciel comprenne ces êtres trop longtemps insouciants qui n'avaient pas vu que le monde est fait de milliers d'absences et que s'y promener avec bonté n'en détournerait pas le cours, car la vie est un manque, irrattrapable, et nous demeurons pour toujours inconsolés.

*Ambillou, le 2 mai 2009.*

*Composé par Nord Compo Multimédia*
*7, rue de Fives, 59650 Villeneuve-d'Ascq*

CET OUVRAGE
A ÉTÉ ACHEVÉ D'IMPRIMER
SUR ROTO-PAGE
PAR L'IMPRIMERIE FLOCH
À MAYENNE EN MARS 2010

N° d'édition : 16193 – N° d'impression : 76288
Première édition, dépôt légal : décembre 2009
Nouveau tirage, dépôt légal : mars 2010
*Imprimé en France*